Ainda estou aqui

Ainda estou aqui

MARCELO RUBENS PAIVA

ALFAGUARA

Copyright © 2015 by Marcelo Rubens Paiva

Grafia atualizada segundo o Acordo Ortográfico da Língua Portuguesa de 1990, que entrou em vigor no Brasil em 2009.

Capa
Alceu Chiesorin Nunes

Foto da p. 7
Eunice e Rubens Paiva no aeroporto de Brasília, anos 1960 (Acervo de família)

Preparação
Mariana Delfini

Revisão
Carolina Vaz
Ana Grillo
Cristhiane Ruiz

CIP-Brasil. Catalogação na fonte
Sindicato Nacional dos Editores de Livros, RJ

P169a
    Paiva, Marcelo Rubens
       Ainda estou aqui/ Marcelo Rubens Paiva. – 1ª ed.
    – Rio de Janeiro: Alfaguara, 2015.

       ISBN 978-85-7962-416-2

       1. Paiva, Marcelo Rubens. 2. Literatura brasileira.
    3. Memória. 4. Família. I. Título.

                   CDD: 869.93
15-24104   CDU: 821.134.3(81)-3

18ª reimpressão

Todos os direitos desta edição reservados à
EDITORA SCHWARCZ S.A.
Praça Floriano, 19, sala 3001 — Cinelândia
20031-050 — Rio de Janeiro — RJ
Telefone: (21) 3993-7510
www.companhiadasletras.com.br
www.blogdacompanhia.com.br
facebook.com/editora.alfaguara
instagram.com/editora_alfaguara
twitter.com/alfaguara_br

Ainda estou aqui

Para minhas irmãs Veroca, Eliana, Nalu e Babiu

Planet Earth is blue, and there's nothing I can do.

David Bowie

Parte 1

Onde é aqui?

Não nos lembramos das primeiras imagens e feitos da vida: do leite do peito, das grades do berço, do móbile que se mexe sozinho magicamente, de nos virar, não conseguir desvirar e chorar até alguém acudir, de como jogar as perninhas pro lado, nos virar e desvirar sozinhos, o primeiro movimento que revela um domínio corporal relevante da vida, do qual nos orgulhamos imensamente, como nos erguer no berço, na cama dos pais, no chão, da primeira vez que ficamos em pé, apoiados na parede, o segundo movimento de domínio corporal do qual nos orgulhamos imensamente, de jogar brinquedos para fora do berço, de quem são papá e mamã, de apertar bonecos que dizem "você é meu amigo", "coraaaação", "quem tá feliz bata palmas", de que chorar é recompensador, do fascinante interruptor que acende e apaga a luz, do mundo dos vários botões ao redor, do mundo em que passam aviões no céu, e há tomadas, o papel rasga, a impressora cospe papel, a gaveta abre e fecha, abre e fecha, e há gavetas por todos os lados, de ligar a TV, de chamar o elevador, das teclas do telefone e computador e controle remoto, do primeiro contato com o magnífico celular, que toca música, e de uma queda livre sem apoio que com o tempo se transforma em caminhar e é aprimorada, um movimento que todo mundo incentiva e adora e bate palmas pra ele.

Nos lembramos disso diariamente, ao sair do berço, de ir atrás do celular, do controle, de tentar caminhar, de rasgar papel, de abrir e fechar gavetas, abrir e fechar, do botão do boneco que nos chama de amigo, dos domínios corporais que se aprimoram com o tempo, dos interruptores de luz, do que pode e daquilo que "NÃO!", não pode, dizem bravos, de quem é papá, mamã, vovó, titia, de que, quando nos levam ao berço e apagam a luz, temos medo de tudo isso sumir e nunca mais voltar: por isso choramos até cansar.

Já temos MEMÓRIA desde o primeiro dia em que nos deram à luz! Temos lembranças assim que acordamos, lembramos que o mundo é magnífico, sentimos um vazio no estômago, uma fralda pesada, molhada, e lembramos que, se chorarmos, milagrosamente aparece alguém que nos livra do desconforto.

Somos um pi-to-qui-nho de gente pe-ti-ti-ti-ca e temos memória, referências, jogamos com elas, calculamos nossas ações nos apoiando em lembranças (já) solidificadas. No entanto, não nos lembraremos de nada disso anos depois. Não nos lembramos de nada disso, mas nos lembramos do triciclo que ganhamos aos três ou quatro anos, da pré-escola, de uma festa de aniversário em que foram TODOS os amigos, de alguns brinquedos, babás, casas em que moramos, corredores, quartos, castigos, brigas, escolas, tias-professoras, coleguinhas.

As primeiras lembranças que guardamos para o resto da vida são as de quando temos três ou quatro anos, e a cada ano que passa virão mais lembranças que serão guardadas, cinco, seis, sete, que se tornam as primeiras lembranças mais fortes do que o esquecimento, que serão cobertas por novas experiências, que se acumulam, se acumulam, se acumulam, oito, nove, dez...

Meu filho não vai se lembrar de quando tinha um aninho e fazia questão de mostrar o umbigo a todos que viessem falar com ele. Só sossegava se também mostrássemos o nosso. Não vai se lembrar dos umbigos gordos, peludos, lisos, engraçados, femininos, enormes, branquelos, tortos, achatados, moles, tímidos, exuberantes, belíssimos que viu. Não vai se lembrar dos tios, tias, amigos e amigas dos pais, desconhecidos e desconhecidas, que levantaram a camisa para ele, fazendo uma cara engraçada, sorrindo um sorriso que ele costumava checar se tinha a ver com o umbigo, pois olhava o umbigo alheio, o rosto do seu dono e voltava ao umbigo. Nem vai se lembrar de que girava na sala como uma barata tonta, caía, levantava e girava; só dias depois descobrimos que estava jogando capoeira sozinho na sala, que aprendeu na escolinha.

Mas saberá do seu fascínio infantil por esse buraco de nome engraçado no meio do corpo que todos têm, depressão na pele resultado da queda do cordão umbilical, a primeira cicatriz fisiológica que ganhamos. Saberá disso porque contaremos, porque nas primeiras fotos das primeiras festas do primeiro ano do grupo G1 da sua primeira escola, as crianças em torno de uma mesinha aparecem sorrindo ou chorosas, olhando ou não para a câmera, e ele aparece de camisa levantada apontando o seu umbigo fenomenal. E se perguntará se existe uma fase em que a comunicação com o mundo se passa pelo umbigo, e se as primeiras lembranças entram por ele.

O renascimento de um fato psicológico passado, seu reconhecimento e localização são as condições necessárias das lembranças. Ou da memória. Elimine um deles, não será lembrança, mas reminiscência. Você olha uma pessoa na rua, pensa reconhecê-la, imagina que já a viu antes, mas não sabe dizer quando nem onde. Há o retorno de um fato passado e o reconhecimento, mas falta a localização: não há lembrança. Henri Bergson escreveu sobre isso. Um teste clínico simples para detectar a falta de memória, como em pacientes com Alzheimer, é perguntar onde e em que ano estamos.

30 de janeiro de 2008. Saímos da estação Liberdade. Fazia sol, mas me lembro do cheiro de que ia chover. Talvez todo paulistano detecte com precisão o cheiro da chuva a caminho. Sente no ar que o mundo pode desabar e tudo vai mudar. Sabe que, se chove, segue-se o caos. E que, por mais que tentemos, a natureza ainda é quem comanda a rotina do maior núcleo urbano da América do Sul.

São Paulo é das raras cidades que têm postes com placas que indicam ÁREA SUJEITA A ENCHENTES, letras em vermelho sobre um fundo azul com duas grandes nuvens com gotas enormes, placa que não está no Código de Trânsito Brasileiro. Como se adiantassem ao motorista que desce a rua Diana, em Perdizes, onde está a placa, na esquina com a rua Turiassu — em algumas placas, Turiaçu —, que no caso de tempestade a rua em frente se torna um rio caudaloso, e que a enchente desce a rua com uma correnteza forte no mesmo sentido dos carros, não na contramão, como se também obedecesse às placas de trânsito, e que alaga todos os verões.

A memória é uma mágica não desvendada. Um truque da vida. Uma memória não se acumula sobre outra, mas ao lado. A memória recente não é resgatada antes da milésima. Elas se embaralham. Minha mãe, com Alzheimer, não se lembra do que comeu no café da manhã. Minha mãe, com Alzheimer, vê meu filho de um ano, que é a minha cara, e o reconhece. Não acha que sou eu, mas o chama de filhinho, de meu filhinho. E sempre diz:

— É a coisa mais linda.

E às vezes se confunde e diz:

— Ela é a coisinha mais linda.

Pode ser ela, a criança. Pode ser que, por ter tido quatro filhas, todos os bebês se tornem ela. Minha mãe reclama muito quando o levamos embora.

Centro velho de São Paulo. Saímos da estação Liberdade. Minha mãe, minha irmã Veroca e eu. Cruzamos o largo Sete de Setembro. Me lembro do cheiro de que ia chover e do agito em torno do fórum. Ela já tinha feito aquele caminho centenas de vezes. Mas, se a soltássemos ali, sozinha, naquela tarde abafada, ela estancaria e não saberia o caminho de volta. Se perderia num raciocínio circular, sob uma enchente de imagens, sinapses, comandos, lembranças, que inundariam seu cérebro, fariam do conhecido, desconhecido, resultariam numa só pergunta:

— O que estou fazendo aqui?

Ou melhor:

— O que é mesmo que vim fazer aqui?

E talvez:

— Onde é aqui?

Como não encontraria a resposta, já que a tempestade cerebral impediria a clareza dos pensamentos, ela diria a frase que marcou a parte inicial do Alzheimer:

— Quero ir embora.

Ou:

— Quero ir pra casa.

Às vezes sorridente. Às vezes furiosa. Sempre surpreendente.

Entramos no Fórum João Mendes. Ela olhava para o lugar com familiaridade e sorria. Estava curtindo o passeio. Esperamos nas filas dos elevadores. Sobre eles, placas indicam os andares em que cada um para. Um entra e sai numeroso de advogados, estagiários, réus, testemunhas, queixosos, policiais, prisioneiros, assistentes, vítimas e casais se separando.

Turiaçu é um rio no Maranhão. A origem do nome vem de "tury" = "facho" + "assu" = "grande". Facho grande, grande luz, grande fogueira. Uma fogueira num lugar elevado e vista de longe servia à pesca do camarão no mar. Em noites escuras, mostrava aos que se demoravam, mais afastados da costa, o ponto do regresso. Guiava os perdidos. Turyassu: a grande fogueira, o farol que iluminava o caminho de volta para casa, para a aldeia, para as famílias.

Bateram no meu carro numa paralela à Turiaçu, num dia claro, e fui processado naquele fórum. Minha mãe foi a minha advogada. O sujeito, mesmo culpado, me pediu uma grana. Minha mãe aceitou a conciliação. O cara pedia cinco vezes mais do que o conserto. Apresentou orçamentos falsos. Fiquei decepcionado com ela, pois não lutou até o fim, não fez a justiça prevalecer; eu era inocente. Ele bateu no meu carro e agora tá dizendo que eu bati!

— Meu filho, faz um acordo, não vale a pena ficar brigando...

Não foi feita a justiça. Paguei o conserto do cara. Descemos no elevador com o pilantra e o advogado oportunista dele. Descemos num respeitoso silêncio. E cada parte foi pro seu lado sem se despedir. Eu deveria ter esganado os dois, ele e o advogado. Fomos caminhando para a estação Liberdade. Ouvi outras vezes, derrotado:

— Meu filho, faz um acordo, não vale a pena ficar brigando...

Me separei naquele mesmo fórum, anos depois. Era para minha mãe ser a minha advogada, como tinha sido a vida toda, advogada para tudo: batida de carro, contratos, desentendimentos trabalhistas, problemas com a Receita. Foi minha revisora e contadora, além de advogada de todos os cinco filhos e de uma dezena de primos, amigos e até de amigos de primos e pais de amigos. Divorciou casais amigos, inventariou bens de famílias amigas, foi advogada de fábrica, de empresas e de índios, foi advogada do divórcio do Ronnie Von, que causava furor quando aparecia no escritório:

— Meu bem...

Uma das poucas especialistas em direito indígena, foi advogada da fundação do Gilberto Gil, foi advogada no Brasil do Sting, que doava grana para os caiapós, ele ligava para ela em casa, com um sotaque inglês inconfundível:

— Eunice Paiva, porrr fa-vorrr.

— Mãe! Stingui de novo no telefone! Fala rápido, que estou esperando uma ligação!

Foi advogada de ilustres e desconhecidos, foi consultora do governo federal, do Banco Mundial, da ONU. Para onde foi todo esse conhecimento? Está à deriva na sua memória, pra lá e pra cá no mar de ligações químicas, de onde não se enxerga o facho grande da costa, a grande fogueira, para retornar à terra, ao ponto de partida. Como Major Tom, o astronauta de David Bowie que empacou flutuando no espaço num jeito peculiar, ao redor da Terra.

Ground Control to Major Tom.
Your circuit's dead, there's something wrong.

Can you hear me, Major Tom?
Can you hear me, Major Tom?

Major Tom, às escuras, num voo às cegas, na porta da sua nave, que parece uma lata fina. *Planet Earth is blue, and there's nothing I can do.* Me pergunto se esse é um pensamento conformista, de quem não acredita em ações transformadoras ou nas possibilidades de o homem, um ser político, fazer a história, em atitudes que um dia chamou de revolução, ou se, em certos casos, a Terra é azul, é muito maior do que nossa insignificância, e não há nada que se possa fazer.

Descemos na 5ª Vara da Família do João Mendes, onde encontramos nossas duas advogadas, advogadas que minha mãe escolheu, com quem se reuniu num escritório na avenida Paulista para, ainda lúcida, dar dicas de como elas deveriam agir.

Esperamos no corredor.

Prisioneiros algemados ficam de costas, os rostos grudados à parede, e sempre escoltados. Em muitos bancos, réus, testemunhas e queixosos estão incomodados com o mesmo calor, com a ciência de que vai chover, de que sairemos daquele prédio e o caos terá desabado sobre a cidade. Todos quase em silêncio, silêncio respeitoso, sim, doutor, não, doutor. Eu já disse isso?

O curioso é que, dentro das varas, quebra-se o maior pau. Mas fora, nos corredores, no hall, nos elevadores, pouco se fala. Quando se fala, é aos sussurros.

Em nenhum momento ela perguntou o que estávamos fazendo, nem pediu para ir embora. Naquela fase, "passear", ver coisas e pessoas, podia deixá-la feliz. E talvez ali se sentisse confortável. Restavam em sua memória os tantos momentos em que esperou naqueles bancos. Minha mãe devia se sentir em casa, por isso não se queixara. Ainda havia algum senso de presente, logo de memória. Ainda. E talvez não tenhamos UMA só memória.

Diante de cada vara, uma mesinha com uma ou um secretário. Quando nos chamaram, olhei para ela. Vamos? É a nossa vez. Ela olhou para a Veroca. Confiava nos dois, não apenas em mim. Confiava na filha mais velha e no único filho homem. Não confiava cegamente, nunca confiou em ninguém cegamente. Era advogada. Checava cada decisão que tomávamos, para ver se fazíamos o certo. Sabia que estávamos nós dois agora no comando. E, se assinasse algum documento, mesmo com Alzheimer, checava cinco vezes. Se não concordasse, não assinava. Checava cada decisão que as advogadas tomavam, para ver se estavam fazendo o certo. Sabia como seria o seu futuro. Sabia que a demência era um caso não só para a medicina, mas também para o judiciário. Sabia que havia leis que a protegiam e preservavam o bem (e os bens) familiar(es). Acreditava na Justiça. Orgulhava-se de fazer parte daquele meio. Me dizia sempre:

— Ela existe para defender os mais fracos.

Chamaram seu nome. Obedeceu, resignada. Entramos na sala. O juiz de família numa mesa sobre um praticável. Nos sentamos nos locais indicados pela escrivã. Um retrato enorme e mal pintado de um soldado fardado era a única reprodução pendurada na parede, diante do juiz. Comentei, para quebrar o gelo, que era impossível alguém lutar com aquele uniforme ridículo, sem contar o pesado capacete. Ele me interrompeu, disse que era seu pai, que tinha sido policial da Força Pública, antiga Polícia Militar, um exemplo de caráter. E que aquele era o uniforme de gala. Eu não podia voltar no tempo. O juiz leu por alto o processo, pulou parágrafos, olhou para todos. Encarou a minha mãe.

— Vi que temos aqui uma colega bacharel.

— Sim, sou advogada. Aposentada.

— A senhora sabe por que está aqui?

— Porque estou velha e preciso que cuidem de mim — respondeu com a sua marca: sinceridade e lógica.

Estávamos no Fórum João Mendes, na 5ª Vara da Família, porque ela estava velha. Essa era a grande ironia. Especialista em interditar pais dos amigos, tida como advogada de confiança, estava para ser interditada às 14h35. Tinha setenta e sete anos. Nem tão velha assim. Interditou dramaticamente velhos conhecidos. Sabia, passo a passo, como fazê-lo.

O juiz tinha à sua frente atestados de dois médicos especialistas, um deles professor da USP, exames clínicos, imagens do cérebro com as detectáveis manchas brancas que indicam a doença, procurações dos cinco filhos pedindo a interdição. Esperávamos que, como de praxe, fosse constituir um perito judicial de sua confiança para tirar os direitos civis de uma bacharel. Tratou o caso com objetividade, frieza e respeito; afinal, estava diante de uma colega. Não falou em juridicês. Rotina. Quantos casos semelhantes não julgou naquela semana? Quantas vezes não leu os autos do processo e viu as mesmas palavras, termos, pedidos?

Virou-se para a minha mãe e perguntou de surpresa:

— Em que ano estamos?

Ela me olhou em desespero. Era aquela expressão, a nova expressão, adquirida havia poucos anos, como se tentasse lembrar algo banal e não conseguisse, a data!, que dia é hoje!, data!, dia/mês/ano!, humilhada pelas conexões do cérebro, proteínas que faltavam a cada dia, mais e mais, eles querem a data!, o que a deixava num branco incomum, onde está o facho? Olhou para nós como se estivesse sendo arrastada pela correnteza para o vazio do oceano, iria se afogar, afogar-se no esquecimento. Assustada, surpresa por não se lembrar, coisa simples. Era um exercício sobre-humano remar de volta. Tinha que adivinhar a direção, defender-se e responder em que ano estávamos. Não sabia. Não sabia em que ano estávamos, em que mês estávamos, em que dia. O tempo não fazia muito sentido. Não conseguiria dizer com certeza o que tinha comido no café da manhã. Por mais que tentasse, não acertaria a primeira pergunta. Um a zero para a doença. O juiz emendou outra:

— Como é o nome do presidente do Brasil?

Novamente, o olhar, desespero, vergonha, branco, deu branco, ela sofria demais, sofria sempre quando não reconhecia alguém e a pessoa perguntava, "Se lembra de mim?", era desesperador não se lembrar se já se banhara, esquecer os remédios, a panela acesa no fogão, não ver a fogueira no alto do morro para voltar à costa com o barco cheio de camarão, a pesca realizada, a missão cumprida.

O presidente do Brasil, mãe, você o conhece pessoalmente. Ele já foi em casa duas vezes, quando ainda era líder sindical. Você esteve na fundação do partido dele. Esteve ao seu lado na luta pela Anistia, pelas Diretas, pela redemocratização. Até queriam você como suplente de senador do partido dele. Ele foi em casa numa noite em que tudo estava uma bagunça. Eu jogava War na sala com amigos. Tínhamos fumado maconha. Ríamos alto. Você, no quarto. A Veroca o trouxe com o Geraldinho. Ele entrou, e gargalhamos, pois estávamos bem chapados. Ele nos cumprimentou, riu também, deve ter sentido o cheiro da rua. Claro que não oferecemos. Ele entrou e foi conversar com você sobre os rumos da política brasileira, que se reorganizava, saía da ditadura. Ficamos nos perguntando se deveríamos ou não oferecer maconha ao metalúrgico líder sindical. Melhor não. Naquela época, eu fumava maconha em casa com os amigos. No quarto, na varanda, nunca na sua frente. Depois de você ter descoberto que eu fumava, depois de ter descoberto que meus amigos fumavam, depois de ter descoberto que seus amigos, e amigos que fez já viúva, fumavam, depois de seus amigos que fumavam terem lhe oferecido, e de você não recusar, por educação, por timidez, e ter dado uns pegas, curiosa... e não ter sentido nada, você viu que não era coisa do demônio. Liberou.

A memória não é a capacidade de organizar e classificar recordações em arquivos. Não existem arquivos. A acumulação do passado sobre o passado prossegue até o nosso fim, memória sobre memória, através de memórias que se misturam, deturpadas, bloqueadas, recorrentes ou escondidas, ou reprimidas, ou blindadas por um instinto de sobrevivência. Uma fogueira no alto ajudaria. Mas ela se apaga com o tempo. E não conseguimos navegar de volta para casa.

O juiz esperava a resposta. Veroca, como se falasse com uma criança, ainda tentou:

— Mamãe, você conhece ele, é o Lu...

Nada. Silêncio. Ela me olhou. Nada. Tudo bem, mãe. Tudo bem, é normal esquecer, você está velha, acontece, todos nós esquecemos, não precisa ficar desesperada nem se sentir culpada, estamos aqui pra te ajudar, todos nós também vamos envelhecer, lembra da sua sogra, a vovó?, também ficou assim, ficou gagá, sua mãe também envelheceu, ficou velhinha, lembra dos amigos dos seus amigos, que você interditou?, também ficaram assim, envelhecer faz parte, se esquecer é normal, eu também me esquecerei no futuro, eu, a Veroca, as advogadas, esse juiz, o pai dele, nesse uniforme ridículo, deve ser hoje um velho que se esquece, não sofra, todos esquecemos, esquecer faz parte, é normal, envelhecer é normal, faz parte, vai dar tudo certo, a Justiça te protegerá, você confia na Justiça, nós cuidaremos de você, fique tranquila...

O juiz perguntou, pois queria saber se tínhamos uma causa, se abria o processo. Sim, a bacharel estava incapaz. Sofria de alguma demência. Era a doença que a impedia de se lembrar. Podia ser Alzheimer. Podia ser hormonal ou outra demência. Hoje existem demências identificadas, nomeadas, diferentes umas das outras. A população envelhece. O cérebro da população envelhece. Um perito escolhido pelo juiz faria a avaliação final. Mas era preciso fazer a interdição temporária.

— Estamos aqui porque seus filhos pedem a sua interdição judicial e elegem seu filho, Marcelo, como curador. A senhora está ciente disso?

— É porque estou velha e preciso que cuidem de mim.

Ela não disse seu prognóstico. Tentava, a todo custo, ser tratada não como uma doente, uma demente, mas como um ser igual a todo mundo, que, com a idade, é traído pela memória, fica velho, fica esquecido, fica esclerosado, velhinha.

— Ela pode também ser minha curadora? — perguntou, se referindo a Veroca.

— Não, apenas um.

— Mas ela pode cuidar de mim?

— Claro, mamãe, sempre cuidarei de você — Veroca disse.

E era quem cuidava. Já havia se estabelecido ali uma parceria de amor e confiança. Me perguntei por que eu, e não ela, minha irmã mais velha, estava sendo eleito curador. Porque sou homem. O único homem da casa. Ela me escolheu. Depois de tudo o que fez por mim, por toda a minha vida, eu deveria retribuir.

Passou a falar das duas filhas que moram fora, uma na Suíça, outra em Paris, dos netos que moram na França, que queria pagar para eles virem vê-la todos os anos, já que ela não conseguia mais viajar, insistiu que deveríamos sempre mantê-la próxima dos netos, que ela tinha dinheiro para isso. O juiz concordou. Ela insistiu. Falou de novo que tinha duas filhas que moravam fora, uma na Suíça, outra na França, e três netos em Paris, que precisava que eles viessem todos os anos, que ela pagava se não tivessem dinheiro, pois ela ia todos os anos vê-los, mas agora estava velha, não conseguia viajar, se perdia em aeroportos, se perdia na rua em busca de um táxi, não conseguia comprar passagens pela internet, não conseguia comprar nada pela internet, não conseguia usar a internet, apesar das tardes em que passei ensinando-a, irritava-se com o mouse, não entendia direito o mouse, o cursor sumia e reaparecia, queria mesmo comprar passagens na loja da Varig, que ficava na Paulista, mas a agência tinha fechado, a companhia estava falindo, a Vasp também tinha falido, a companhia com a qual viajava rotineiramente atrás da promoção (guarde nove cartões de embarque e ganhe uma viagem GRÁTIS). Faliram. A Transbrasil também faliu, tudo mudava rápido demais, os bancos se automatizavam, suas notificações da Justiça vinham agora por e-mail, não mais em carta em papel-jornal grampeado da AASP, Associação dos Advogados de São Paulo, e ela não conseguia se entender com o "maledetto" do mouse! Ma-le-det-to!

Repetir é um dos gestos rotineiros de quem tem demência. Não sei se é porque a pessoa se esqueceu do que disse ou para reafirmar o que disse, já que alguns não prestam atenção. Essa repetição, aliás, é um alerta: é quando a família recebe os primeiros sinais de que os pensamentos de quem repete não seguem uma rota contínua.

O juiz foi surpreendentemente atencioso e ouviu a segunda vez como se fosse a primeira, que ela tinha filhas e netos no exterior e que queria pagar para eles virem vê-la todos os anos. Claro, pode deixar, vamos cuidar disso, ele respondeu.

O juiz me olhou seriamente. Anunciou que, a partir daquele instante, eu seria responsável jurídica e criminalmente pela minha mãe.

— A partir desta data, o senhor é responsável jurídica e criminalmente pela sua mãe.

Exigiu que eu me desdobrasse pelo conforto e bem-estar dela. Determinou que ela não poderia mais ficar sozinha. Precisaríamos de cuidadoras vinte e quatro horas por dia, sete dias da semana, trezentos e sessenta e cinco dias do ano. E lembrou que eu tinha a obrigação de trazer as filhas e os netos que moram fora.

Desde então, minha mãe nunca mais ficaria sozinha.

O jogo tinha se invertido naquele instante.

Em 30 de janeiro de 2008, naquela tarde abafada, na forma da lei no Foro Central Cível na praça João Mendes, s/nº, 4º andar, sala 426 do Tribunal de Justiça do Estado de São Paulo, primeiro provisoriamente e depois definitivamente, aquela que cuidou de mim por quarenta e oito anos seria cuidada por mim. O referido é verdade e dou fé.

Eu virava mãe da minha mãe.

E não choveu.

A água que não era mais do mar

Em fevereiro de 2014 nasceu meu filho. Talvez, de alguma forma, ele vá se lembrar de quando nasceu: verá fotos e filmes de como era gostoso fazer da minha barriga um tambor, da minha perna, uma escada, da minha cadeira de rodas, um andador, e de como ele gargalhava quando eu assoprava seu cabelo, colocava um chapéu em mim e depois nele, de como ele parava o que estava fazendo para ver os comerciais das Casas Bahia ou dançar na música de abertura do *Jornal Nacional,* do prazer em ouvir qualquer música, que começou quando nenê e que descobri casualmente: música era a única coisa que o fazia parar de chorar, como uma injeção de ondas harmônicas de opiáceos pelo ouvido.

Dizem que bebês escutam no útero, e que a audição é o primeiro sentido aprimorado das nossas vidas. Ele gosta de bandas que estavam no line-up do Lollapalooza em que eu e minha mulher ficamos no gargarejo, no local privilegiado de deficientes com direito a acompanhante (The Black Keys, Alabama Shakes e Kaiser Chiefs). Gosta e se lembra de bandas que ouviu no meu colo, como Arcade Fire e Arctic Monkeys. Ou dos clipes de "gostosas" que assistíamos pelo YouTube, como Madonna,

Shakira, Rihanna, Beyoncé e Britney Spears, até ele parar de chorar. Eu juro que ele gostava e provei a todos os amigos (especialmente à mãe), sem perceber a projeção paterna e a inversão: quanto mais gostosa, pior a música. Até o dia em que, sem querer, coloquei Sammy Davis Jr. e o vi despertar de um pesadelo sonoro, abrir a boca espantado, encantar-se pela qualidade musical do artista. Passei a investir no jazz dos anos 40, 50, e ele ficava cada vez mais embasbacado. Chegou ao êxtase quando ouviu Tom Jobim. Com um ano de idade, foi enfim tragado pelas bandas infantis que misturam ritmos, diversão, mensagens didáticas e não economizam nas guitarras: Pequeno Cidadão e Palavra Cantada. Toda vez que precisávamos acalmá-lo, distraí-lo, ocupar seu tempo, me pediam para colocar os (mesmos) clipes do Pequeno Cidadão e da Palavra Cantada. Ele se lembrará disso no futuro?

Eu me lembro da primeira música que aprendi ainda na pré-escola, Serelepe, casinha que ficava numa travessa da Rebouças, de cujo pátio também me lembro bem: "Espinafre é gostoso e ferro contémmmm". O "mmmm" era prolongado até perdermos o fôlego. Me lembro da abertura de *Bat Masterson* ("No Velho Oeste ele nasceu, e entre bravos se criou, seu nome lenda se tornoooou, Bat Masterson, Bat Masterson..."), de *Vigilante Rodoviário* ("De noite ou de dia, firme no volante, vai pela rodoviiiia, bravo Vigilante") e do incompreensível e hipnótico tema de *National Kid*, cujo refrão era a única coisa que entendíamos ("Hei, Nationaro Kido, Ki-do!, Nationaro Ki-i-dooo"). Se me lembro de tudo isso, meu filho se lembrará do refrão "o Sol pediu a Lua em casamento, e a Lua disse não sei, não sei, me dá um tempo", do Pequeno Cidadão. Assim como minha mãe no estágio avançado do Alzheimer canta, quando meu cunhado Daniel toca para ela no violão, "Aquarela do Brasil", "Samba do avião", "Night and Day", "Volare" e chora de emoção.

Me lembro de coisas da infância porque vejo fotos. Como da vez em que colocaram em mim um capacete verdadeiro de bombeiro, profissão que por muitos anos planejei ter. Está registrado, tem foto, então tenho certeza de que aconteceu. Ou será que está na memória porque há um registro do momento? Me lembro das festas de São João da Serelepe, em que minha mãe me fantasiava de caipira da cabeça aos pés, com chapéu de palha, camisa xadrez, calça erguida como um pequeno Mazzaropi. Até no bigode de rolha queimada ela caprichava. Lembro porque há muitas fotos da quadrilha em que eu danço com minha irmã Nalu, uma coreografia nitidamente ensaiada, cercados por monitores que organizam o casamento na roça, a fuga da cobra e da chuva. Mas não me lembro com clareza. Vejo as fotos.

Me lembro até hoje com precisão de um evento da categoria dos Traumáticos Para a Vida Toda, capaz de modificar a personalidade de um indivíduo sensível e inseguro. Foi no Rio de Janeiro, quando eu tinha seis anos e era recém-chegado e recém-matriculado no Colégio Andrews. Na primeira festa de São João da escola, lá foi o pequeno Mazzaropi paulistano: chapéu, camisa xadrez, calça encurtada. Acontece que, no Rio, ninguém se fantasiava de caipira em festas de São João. Muitos vieram me perguntar por que meu rosto estava sujo. Não tinham ideia da complicada operação que era desenhar um bigode com uma rolha queimada.

Nunca perdoei minha mãe por esse fora cultural. E até hoje tenho trauma de festas à fantasia. Não vou nem arrastado: tenho medo de, como num pesadelo, ser o único a aparecer a caráter.

Me explica rápido: por que velhos com demência se esquecem das coisas vividas horas antes e passam a se lembrar das vividas na infância? Chamam filhos pelos nomes de irmãos, veem netos e acham que são sobrinhos ou filhos, amigos antigos, confundem o marido com ex-namorados, parentes vivos com os já mortos, contam piadas infantis, riem de joguetes e cantam canções de ninar com requinte de especialista.

A intensidade de uma lembrança é diretamente proporcional à sua antiguidade. As recém-chegadas somem antes daquelas de que lembramos muitas vezes na vida, as adquiridas. Quanto mais antiga e primitiva, mais estável ela é. As últimas se vão primeiro.

Meu filho nasceu às 8h45. Me lembro e me lembrarei de cada segundo do seu parto. Me lembro de ver sua cabecinha saindo. De ele balançar os bracinhos na luz. De eu chorar sem sair lágrimas. Ou de sair lágrimas sem eu chorar. Duvido que me esquecerei de algum detalhe desse dia milagroso. Existir é passar de um estado para outro: tenho fome, como, tenho frio, me agasalho, estou alegre, e agora triste, e depois estarei alegre, penso e chego a conclusões, me lembro de algo que me toca o coração, sinto um cheiro que me lembra alguém, sinto um gosto que me lembra um lugar, me emociono. Emocionar-se é passar de um estado para o outro. Você vê um quadro hoje. Vê o quadro de novo daqui a dez anos, o revê daqui a vinte, trinta, quarenta... É o mesmo quadro com a mesma moldura, na mesma parede do mesmo museu, com a mesma luz, é você, mas cada vez será visto de outra forma. Cada vez ele nos conta uma história. O quadro não mudou. Já nós...

Li em *Putas assassinas*, de Roberto Bolaño: "Uma rajada de vento que só atravessa sua imaginação borra as casas do bairro de que se lembra. Depois de se barbear, B vai à janela e observa as fachadas vizinhas. Tudo está igual a ontem...".

Se tudo é recriação de algo já inventado, nada é invenção.

Sei que repetirei lá na frente o que narrei antes. Este livro sobre memória nasce assim. Histórias são recuperadas. Umas puxam outras. As histórias vão e voltam com mais detalhes e referências. Faço uma releitura da releitura da vida da minha família. Reescreverei o que já escrevi.

Ainda vejo o facho, não quero me afastar. Existem várias formas de contar a história sobre memória e a falta dela. Procurarei a fogueira no alto quando o mar me puxar. Vou para voltar. Quem nadou em mar aberto sabe: antes de lutar desesperadamente contra a correnteza, é melhor deixar-se levar por instantes; é preciso ter calma e coragem; a correnteza enfraquece, então saímos fora.

Antonio Callado escreveu em agosto de 1995 na coluna da *Folha de S.Paulo*:

Outra recordação que me ficou nítida liga-se a Búzios. Ali fui, num fim de semana de 1971, hóspede de Renato Archer. Saíra com ele, Maria, Maurício Roberto e outros amigos para um passeio de lancha. Quando paramos, ao voltar, a uns cem metros da praia, vimos alguém, uma moça, que nadava firme em nossa direção. Minutos depois subia a bordo, cara alegre, molhada do mar, Eunice Paiva, mulher do deputado Rubens Paiva, amigo de Renato, amigo meu, de todos nós, um dos homens mais simpáticos e risonhos que já conheci. Eunice andara preocupada. Rubens fora detido pela Aeronáutica dias antes e nenhuma notícia sua tinha chegado à família. Mas agora Eunice, que fora também presa mas em seguida libertada, podia respirar, tranquila, podia nadar em Búzios, tomar um drinque com os amigos, pois acabara de estar com o ministro da Justiça, ou da Aeronáutica, que lhe havia garantido que Rubens já tinha sido interrogado, passava bem e dentro de uns dois dias estaria de volta a sua casa. Dois dias depois, isto sim, os jornais recebiam uma notícia tão displicente que se diria que seus inventores não faziam a menor questão [de] que fosse levada a sério: Rubens estaria sendo transferido de prisão, num carro, quando guerrilheiros que tentavam libertá-lo tinham atacado e sequestrado o prisioneiro. O que correu pelo Rio, logo que se suspeitou de sua morte, é que ele morrera às mãos, ou pelo menos de tortura diretamente comandada pelo brigadeiro João Paulo Penido Burnier, aquele mesmo que queria fazer explodir o gasômetro do Rio para pôr a autoria do crime na conta dos comunistas. A família Paiva nunca mais teve notícias oficiais de Rubens. Nunca se encontrou a cova onde o terão atirado depois do assassinato. A cara de Eunice continuou molhada e salgada durante muito tempo, tal como naquela manhã de Búzios. A água é que não era mais do mar.

Eu e minha mãe lemos a coluna juntos, no sábado em que foi publicada, durante um almoço na casa dela. Acho que ficou lisonjeada. Você se lembra desse dia em Búzios?

— Claro. Foi dias depois de eu ser solta, em 1971, eu estava magérrima, queimada, de biquíni, linda... — ela disse, e foi sorridente para a cozinha.

O que importa era que ela estava magra, magérrima, queimada, linda. E que a prisão não a quebrou por dentro.

No verão de 1971, a imagem da minha mãe, aliviada, de biquíni, com os olhos castanho-claros brilhando sob a luz do sol, quarenta e um anos, subindo alegre numa lancha depois de ficar doze dias presa no DOI-Codi do Rio de Janeiro, sem ter a menor ideia de por que fora presa nem de que o marido estava morto havia muito, não saiu da memória de Callado. Escritor é assim. Lembra-se das contradições enormes, de imagens que podem ser descritas décadas depois, pois ficou tocado por ela.

Ela tinha perdido vinte quilos. Ficou presa numa cela de fundo, em que quase ninguém aparecia. Sem sol. Ela não viu meu pai, apenas sua foto no álbum de presos, o que a deixou contraditoriamente aliviada, pois então ele estava ali, nas mesmas dependências, vivo, e ao mesmo tempo angustiada, pois seu rosto fazia companhia ao de centenas de presos, suspeitos, guerrilheiros, terroristas, inimigos do sistema, procurados, mortos em combate, torturados, subversivos, ou, como preferia a imprensa: O Terror!

A maioria dos brasileiros não sabia exatamente da luta armada, de organizações clandestinas, de guerrilheiros da selva, nas cidades. Minha mãe lia as notícias filtradas pela censura ou autocensura sobre terroristas tombados em combate na fuga, sequestros de embaixadores, assaltos a bancos praticados pelo Terror! Será que meu pai sabia do que acontecia nos bastidores e a poupava por "questão de segurança"? Seria inútil torturá-la. Apesar de ela desconfiar que, mesmo cassado e visado e contra a luta armada, ele conhecia gente demais e fazia alguma coisa contra o regime que combateu e contra quem perdeu. Regime que foi à forra e o virou do avesso.

23 de fevereiro de 1996. Centro velho de São Paulo. Calor. Sol. Não ia chover.

Ela me fez vestir um dos ternos que eu tinha herdado dele e que estão comigo até hoje. Pegamos o metrô para descer na praça da Sé. Adorávamos andar de metrô. Caminhamos até o cartório de Registro Civil das Pessoas Naturais — 1º Subdistrito da Sé. Os funcionários estavam assustados com a quantidade de fotógrafos e cinegrafistas. Era um momento sublime. Mal sabiam que se fazia história naquela repartição abafada.

Um cordão da imprensa respeitou a nossa passagem. A escrevente substituta Cibeli da Silva Bortolotto nos entregou, com as mãos trêmulas e um sorriso forçado, o atestado:

> Certifico que, em 23 de fevereiro de 1996, foi feito o registro de óbito de Rubens Beyrodt Paiva. Profissão, engenheiro civil. Estado civil, casado. Natural de Santos, neste Estado. Nascido em 26 de dezembro de 1929. Observações: Registro de Óbito lavrado nos termos do Artigo 3º da Lei 9140 de 4 de dezembro de 1995.

Meu pai, um dos homens mais simpáticos e risonhos que Callado conheceu, morria por decreto, graças à Lei dos Desaparecidos, vinte e cinco anos depois de ter morrido por tortura.

Na calçada, avistávamos a baixada, o parque Dom Pedro (o que restou dele), o Brás, bairro em que ela nasceu (o que restou dele). Ela ergueu o atestado de óbito para a imprensa, como um troféu. Foi naquele momento que descobri: ali estava a verdadeira heroína da família; sobre ela que nós, escritores, deveríamos escrever.

Minha mãe esteve na capa de todos os jornais no dia seguinte. Com o atestado de óbito erguido, alegre. Uma batalha foi vencida. V de vitória. Ela nunca faria uma cara triste. Bem que tentaram. Por anos, fotógrafos nos queriam tristes nas fotos. Tivemos nossa guerra fria contra o pieguismo da imprensa. Com o tempo, aprendemos a selecionar qual órgão evitar e como nos portar. Éramos "A família vítima da ditadura". Apesar de preferirmos a legenda "Uma das muitas famílias vítimas de muitas ditaduras". Não faríamos o papelão de sairmos tristes nas fotos. Nosso inimigo não iria nos derrubar. Família Rubens Paiva não chora na frente das câmeras, não faz cara de coitada, não se faz de vítima e não é revanchista. Trocou o comando, continua em pé e na luta. A família Rubens Paiva não é a vítima da ditadura, o país que é. O crime foi contra a humanidade, não contra Rubens Paiva. Precisamos estar saudáveis, bronzeados para a contraofensiva. Angústia, lágrimas, ódio, apenas entre quatro paredes. Foi a minha mãe quem ditou o tom, ela quem nos ensinou.

Durante toda a minha vida, se um entrevistador me perguntasse sobre o meu pai, eu respondia imaginando como a minha mãe responderia.

Lei 9140 de 4 de dezembro de 1995.

Artigo 1º: São reconhecidas como mortas, para todos os efeitos legais, as pessoas que tenham participado, ou tenham sido acusadas de participação, em atividades políticas, no período de 2 de setembro de 1961 a 5 de outubro de 1988, e que, por esse motivo, tenham sido detidas por agentes públicos, achando-se, desde então, desaparecidas, sem que delas haja notícias.

Artigo 3º: O cônjuge, o companheiro ou a companheira, descendente, ascendente, ou colateral até quarto grau, das pessoas nominadas na lista referida no art. 1º, comprovando essa condição, poderão requerer a oficial de registro civil das pessoas naturais de seu domicílio a lavratura do assento de óbito, instruindo o pedido com original ou cópia da publicação desta Lei e de seus anexos.

Depois de vinte e cinco anos, minha mãe pôde enfim se considerar viúva, mexer em aplicações bancárias do meu pai, bens, fazer um inventário. Graças a uma lei que o governo Fernando Henrique se viu forçado a promulgar, depois de uma provocação que fizemos.

Eleito presidente em 1994, FHC, amigo íntimo do meu pai, desconversou quando a Anistia Internacional cobrou uma posição sobre os desaparecidos políticos. Foi notícia. Eu morava nos Estados Unidos. Liguei para a minha mãe, que também estava indignada no Brasil. Minutos depois, chegou um fax no meu quarto e sala em Stanford, Califórnia. Ela tinha encontrado nos arquivos o texto do FHC sociólogo e colunista da *Folha*, nos anos 80, citando o amigo Rubens Paiva e cobrando do governo Sarney uma posição sobre os desaparecidos políticos. Liguei imediatamente para meu amigo do movimento estudantil, Paulo Moreira Leite, conhecido como PTB, que na época era redator-chefe da *Veja*. Pedi uma página para escrever um texto sobre a contradição do FHC dos anos 80, pensador crítico do regime, e dos anos 90, presidente da República. Ele me deu duas páginas.

A repercussão, imensa. Mas a resposta foi digna. Com José Gregori, outro amigo do meu pai, seu ministro da Justiça, redigiram a Lei 9140. Quando ela foi promulgada, chamaram minha mãe para a cerimônia no Palácio do Planalto. Ela ficou sentada ao lado do presidente, diante de ministros militares. Ao final, todos se levantaram, abraçaram-se. Fotos.

No dia seguinte, vejo na capa dos jornais minha mãe abraçada ao chefe da Casa Militar, general Alberto Cardoso, do Exército brasileiro. É uma das fotos mais importantes do longo e infindável processo de redemocratização brasileira. Tempos de reconhecimento. Um lado sai da trincheira e cumprimenta o outro.

Sabemos muito bem que o terror que reinou no país foi obra de parte dos militares. Sabemos muito bem que não se fazem generalizações em acirramento ideológico. Militares foram os que mais sofreram nas mãos dos militares durante a ditadura. Muitos foram presos, expulsos, humilhados, exilados, torturados e mortos. Aliás, grande parte dos que combateram a ditadura militar, desde o seu começo, foram militares contrários ao regime. Muitos caíram na luta armada. Fundaram até uma organização clandestina, a Vanguarda Popular Revolucionária (VPR), de sargentos, tenentes e capitães descontentes. Sabemos que a "linha dura" manchou o nome da instituição que lutou na Guerra do Paraguai, proclamou a República, lutou contra o nazifascismo na Itália e se levantou em nome da democracia em 1945. Sempre soubemos que o nosso inimigo não vestia farda. Era um regime, não uma carreira.

O general contou para o jornalista Emanuel Neri: "Eu a conheci ali, pouco antes da cerimônia. Me impressionou o equilíbrio e a simpatia daquela senhora, que, logicamente muito machucada, não exibiu o menor rancor. No abraço, eu senti que ela estava emocionada. O meu abraço foi espontâneo, nada programado. Quando vi, me assustei, mas depois vi que naquela foto o mais importante não era eu estar ali, mas sim o simbolismo. O triângulo ali exposto representava bem a reconciliação. Depois, recebi cumprimentos de colegas de farda".

Quando a encontrei, tempos depois, pedi detalhes do abraço. Ela falou na maior simplicidade:

— Todos se levantaram, abracei o Fernando Henrique, que estava ao meu lado, virei, tinha um militar, eu não sabia o que fazer, era o general, acabei abraçando-o também.

Grandes gestos são humildemente casuais. Tenho um agradecimento a fazer aos militares brasileiros: obrigado por não terem matado a minha mãe.

Blá-blá-blá...

A Facciollada.

Minha família materna é italiana. E saudável. Raramente um Facciolla morre. Como diz o ditado, sempre repetido pela minha avó italiana, que como todo italiano adora ditados, "coisa ruim não morre cedo". Temos dupla cidadania, passaporte e direitos, como parte dos paulistanos. Até votamos para o milenar Senado romano.

Minha família é louca, como toda família italiana: tudo é um drama, tudo é intenso, vamos do amor ao ódio e do ódio ao amor antes de a água ferver. E, quando achamos que tudo está perdido, que a vida é uma desgraça, alguém se lembra, ah, somos italianos, e passamos a ignorar a birra, o escândalo, o drama, que já identifico no meu filho de um ano e três meses, já com dupla nacionalidade, que urra, ajoelha-se e esmurra o chão tragicomicamente, joga a cabeça para trás e faz um drama operístico quando contrariado, para o qual não damos bola, porque sabemos: é um *ragazzino* canastrão.

Somos italianos, loucos e com problemas de peso. A única pessoa não cem por cento italiana da *famiglia* era justamente a minha mãe. De sangue, era. De alma, muito pouco. Eu queria ter tido uma mãe completamente italiana. Me pergunto se é normal um cara invejar a mãe dos outros. Passei a vida achando minhas tias, sogras e mães de amigos mais afetivas e carinhosas do que a minha. Que por vezes parecia uma namorada birrenta e temperamental. Costumava bater o telefone na minha cara. E ficava dias sem falar comigo, me evitando, me "dando um tempo". Imagino que uma verdadeira mãe italiana jamais bateria o telefone na cara do filho.

Meus avós nasceram na Itália e se casaram no Brasil. Ela de Modena, no norte, ele de Polignano a Mare, no sul, um dos lugares mais lindos da Itália, de mar azul-claro, em Puglia, um complexo rochoso no mar Adriático, cidade de onde veio uma comunidade grande de imigrantes e se instalou no Brás. Minha mãe foi criada num ambiente completamente italiano, em cima de um armazém de cereais perto do Mercado Municipal de São Paulo. Era uma casa em que todos comiam muito, todos gritavam muito, choravam muito e dramatizavam tudo. Eram bem loucos, como toda família italiana. Meus avós e suas quatro filhas. Quatro mulheres, numa época em que elas não trabalhavam! Meu avô as preparou para o casamento e as proibia de estudar.

Minha mãe decidiu não ser inteiramente italiana. Preferia se parecer com atrizes de Hollywood. Ficou obcecada por ser magra. A vida toda. Não comia. Nunca comeu. Um palito. Trancava-se para não comer. Como se trancava, lia sem parar. Lia em jejum no quarto. Era prática, culta, magra, sensata e workaholic. Tudo o que não se quer de uma mãe. Falei no passado, reparou? Quando eu queria colo de mãe, apelava para as minhas avós, tias e mães de amigos, a quem me apegava. Me apeguei até a professoras. Minha mãe deve ter me dado uns quatro beijos na vida. Me levou duas vezes ao cinema, quando eu era criança, para ver filmes que ELA queria ver: *Doutor Jivago* e *Lawrence da Arábia*. Uma vez fomos ao teatro, no Jardim Botânico: *Chitty Chitty Bang Bang*. Tão poucas vezes, que consigo enumerar. Eu passeava mesmo com minhas avós, tias e mães de amigos. Na adolescência, pedi mais conselhos à filósofa e coordenadora do meu colegial que me recebia na sua sala, Malu Montoro, do que à minha mãe.

Meu avô José era um homem bonito, forte, pele bronzeada, corpo atlético, olhos verdes e um sorriso irresistível. Ele se cuidava para ficar sarado. Praticava esportes para continuar bonitão. E tinha uma casa de veraneio em São Vicente, para onde desde jovem ia a pé, de bicicleta, de trem, dormia em praças e chegou a ser preso por vadiagem no histórico presídio de Santos, na entrada da cidade, hoje museu. Ele sempre se gabava de já ter sido preso lá.

Foi numa dessas idas para a Baixada Santista que ele quis dar uma de super-herói e saltou do vagão em movimento. Queria mostrar a todos que poderia correr ao lado do trem e chegar junto. Ele rolou e se espatifou no chão. Quebrou a perna. A família resolveu voltar para São Paulo, pois em São Vicente não havia bons hospitais. Foi internado no Samaritano, em Higienópolis. Ao sair do hospital, e nas visitas médicas, ficou encantado pelo bairro. Belos casarões, ruas arborizadas, carrões... Viu o prédio do Colégio Sion e ficou encantado com a beleza da obra, de 1901 (do arquiteto Ramos de Azevedo). Sentiu-se na Europa. Descobriu que a escola era frequentada por meninas da "boa família paulista". Para as filhas serem aceitas no Sion, era preciso serem apresentadas por alguma aluna da escola, e ele não tinha nenhum contato. Comerciante de cereais, seu negócio dava lucro. Enriqueceu vendendo arroz beneficiado; tinha máquinas de beneficiar arroz espalhadas em três estados. Foi ironicamente apelidado pelos cerealistas de São Paulo de Rei do Arroz.

Era o momento de deixar o Brás, bairro italiano popular, e morar no bairro nobre de São Paulo. Comprou um terreno em Higienópolis. Ao assinar o título de propriedade, descobriu que pertencia à família de uma freira do colégio, que abriu todas as portas, e as meninas foram matriculadas. Construiu uma casa. Mudaram-se para a rua Maranhão. Colocou as filhas na escola francesa da elite paulistana, em que não estudavam descendentes de italianos.

Uma Paiva, irmã mais nova do meu pai, estudava na mesma escola e ficou amiga de uma Facciolla. Assim meu pai e minha mãe se conheceram, nas festinhas do casarão do seu Facciolla, em que o bate-coxa rolava solto e era famoso no bairro. Foxtrote que atravessava a noite, ritmo quaternário, forte-fraco-meio-forte-fraco, swing das grandes orquestras, Glenn Miller, Benny Goodman e do genial Duke Ellington, dançado nos cinemas por Gene Kelly, Fred Astaire e Ginger Rogers, dois para lá e dois para cá, compassos marcados pelos instrumentos de sopro — as famosas festas do seu Facciolla, que juntavam turcos (como eram chamados os sírio-libaneses), italianos, armênios, quatrocentões paulistas, portugueses, espanhóis, todos fãs de Sinatra e Cole Porter, e atraía também uma garotada à casa do velho novo-rico italiano que queria casar as quatro filhas. E assim surgiu a composição Facciolla Paiva.

Sempre que escuto um foxtrote, me lembro da minha mãe dançando, estalando os dedos. De nome composto triplo, coisa de italiano, Maria Lucrécia Eunice, ela me contou que na escola seu apelido era Italianinha, o que a deixava furiosa, e que davam reguadas na sua mão esquerda para forçá-la a escrever com a direita, quando o mundo pedagógico achava que canhotos eram uma aberração e que todos deveriam ser destros.

Não deu outra: retraiu-se mais, estudou como uma louca e se tornou a melhor aluna da escola. Dizia com orgulho que tinha entrado em primeiro lugar na faculdade de letras do Mackenzie aos dezoito anos. Repetia sempre. Entrei em primeiro lugar. Para ela, o segundo lugar era uma derrota. Aos quarenta e dois anos, prestou outro vestibular. Estudou sozinha, viúva, triste. Em Santos, para onde nos mudamos. Estudou e entrou em primeiro lugar na faculdade de direito e se transferiu para a do Mackenzie. Uma prima conta que minha mãe estudava o tempo todo, que nós corríamos pela casa, e ela estudava, estudava, estudava. Eventualmente, olhava pelo corredor para checar se estávamos vivos, se não tínhamos incendiado a casa do meu avô Paiva, onde moramos em 1971 e 1972.

Quando eu nasci, ela já tinha lido de tudo. Os russos Dostoiévski e Tolstói, os franceses Balzac, Flaubert, Victor Hugo e Proust no original e, do inglês, de Hemingway a Fitzgerald, passando por Henry Miller, além de toda a literatura brasileira. Era amiga de escritores como Lygia Fagundes Telles, Antonio Callado, Millôr, Haroldo de Campos — colega de classe do meu pai —, além de editores e livreiros. Era fã de Erico Verissimo. Dizia que, a cada lançamento dele, ficava na fila de livrarias, como os fãs de Harry Potter ou de iPhone. Nas salas das casas em que morei, não tinha TV, mas livros, do chão ao teto. Nas paredes, as estantes eram recheadas de livros. Lembro de passar tardes brincando com livros abertos.

Minha mãe sabia falar fluentemente francês e inglês. Não sei se falava italiano. Apesar de proibida pelo meu avô, ela fez letras antes de se casar e direito depois de viúva. Não foi ser na vida uma digna mãe italiana, mas uma advogada tão eficiente e requisitada que, aos setenta anos, nunca a deixavam se aposentar. Ela tentava, mas dobravam seus honorários, mesmo quando o Alzheimer subia pelo elevador sem ser anunciado.

Não exercia seu afeto por meio de afagos, mas pela praticidade. Nunca me disse "eu te amo, filhinho". Mas eu sabia que ela me amava, orgulhava-se de mim, sem demonstrar.

Percebeu que conjuguei no passado, apesar de ela ainda estar viva enquanto escrevo, morando num prédio vizinho ao meu, provavelmente sentadinha vendo TV com alguma de suas cuidadoras, que ela adora e com quem se diverte? É uma confusão recorrente de quem tem um parente com Alzheimer: falar dele no passado. Antes, eu sentia uma culpa sem fim por enterrar na conjugação verbal alguém que está vivíssimo e presente. Parecia um golpe do inconsciente, um lapso proposital, um desejo reprimido.

Quem tem Alzheimer em estado avançado está lá, mas não está, é a pessoa, mas não é. Pensa de uma forma peculiar; talvez tais pensamentos façam algum sentido, talvez ela tenha se acostumado com a confusão deles; ou talvez deixe de pensar, já que eles não se concluem.

Muitas vezes ela presta atenção no que dizemos. Às vezes, solta uma frase picotada, que faz sentido. Ou não faz, e pretendemos que faça. Por vezes, ela repete irritada:

— Blá-blá-blá, blá-blá-blá, blá-blá-blá, blá-blá-blá, blá-blá-blá, blá-blá-blá...

Não sabemos se as vozes dos outros se tornaram para ela um longo blá-blá-blá, ou se aquilo sobre o que debatemos não faz sentido, não tem relevância, não chega a lugar nenhum, não passa de um enorme blá-blá-blá.

Talvez o vazio dos seus pensamentos não passe de um blá-blá-blá.

A vida é um blá-blá-blá para quem sofre de uma doença que o afasta de tudo em volta. E toda vez que vejo alguém gripado se queixar de que está doente, eu penso que ele não sabe realmente o que é estar doente, não tem ideia do que é uma doença que leve toda a cultura da humanidade a se transformar num besta blá-blá-blá, que faça o debate político da semana não passar de blá-blá--blá, os livros da estante são blá-blá-blá, o que se diz no rádio, na televisão, nos jornais, não serve para nada, blá--blá-blá de quem não tem mais o que fazer, blá-blá-blá de gente que faz ruídos sem parar, barulhos irritantes.

Música não é blá-blá-blá, ela diria:

— De música eu gosto. Canto, até. A melodia entra na alma, não no cérebro. A poesia musicada não exige compreensão daquele que já não compreende muita coisa. O resto é blá-blá-blá.

Nos anos 40, meu avô Paiva comprou uma fazenda rústica em Eldorado Paulista, cidade fundada por garimpeiros às margens do rio Ribeira. No começo, para chegar lá, seguiam de trem de Santos até o vale do Ribeira. Subiam o rio num barco que mais parecia uma balsa, daquelas que cruzavam o rio Mississippi: era uma região primitiva, de florestas intactas, montanhas e rios limpos, plantações de banana e pouco povoada. Sinônimo de boas oportunidades. E perto de Santos.

Meu pai, meus três tios e duas tias passaram a adolescência lá, numa casa rústica, que foi crescendo e ganhando anexos. Levaram namorados. Casaram-se. Minha mãe passou a frequentar aquela fazenda com o figurino apropriado: botas, cinto, chapéu, chicote. Não sei se andava a cavalo. Meu pai andava.

Pouco a pouco, o progresso chegou. Asfaltaram a BR-116 até Curitiba. Para chegar à fazenda de carro, pegávamos a BR e então uma estrada de terra em Jacupiranga. Que hoje também está asfaltada.

A modesta casa de pau a pique virou um casarão com muitos quartos. Ganhou piscina e um lago represado, barrento, em que vivia um jacaré, dizia-se. Boato só desmentido recentemente: era para que as crianças não se arriscassem muito e não nadassem até a margem oposta. Fugir do jacaré mitológico passou a ser uma espécie de batismo e desafio da molecada. Cruzávamos o lago temendo o pior, chegávamos à outra margem e voltávamos a jato, com medo de sermos mordidos nos pés, apenas para provarmos quão corajosos éramos.

A família cresceu. Eram vinte e cinco netos, com pouca diferença de idade, em que me incluo. A maioria foi batizada na pequena capela construída ali, como eu. Nesse paraíso distante, passei a infância e a adolescência, como meu pai. Minha mãe trocou botas, cinto, chapéu e chicote, de quando ainda não era mãe, por livros, livros e livros. À beira da piscina, lia; na lareira, lia. Minhas tias cuidavam da criançada. Eu pediria alguma delas em casamento, se pudesse. Lanches, horários, banhos. Primos mais velhos cuidavam de primos menores. Cavalo, leite da vaca, programação diurna e noturna. Minha mãe nunca aparecia. Nunca entretinha outras crianças. Tinha mais o que fazer, já que saíra a trilogia de Henry Miller. Eu não pediria minha mãe em casamento.

Não tinha telefone, TV. Não pegava rádio. De dia, a criançada se entretinha na piscina, no lago, nas areias de praia do rio gelado e de águas transparentes, andava a cavalo pelas matas, tocava a boiada com os vaqueiros. Ficávamos soltos. Eventualmente, alguém se machucava. Só então um adulto (um tio ou meu pai) era requisitado para levar o ferido ao hospital mais próximo — em Iguape, a oitenta quilômetros dali. Geralmente era meu pai, que dirigia como um louco e fazia o percurso em tempo recorde, rota que sabia de cor. Quando um primo rolou pela cachoeira, meu pai foi levá-lo. O que me deu uma tremenda inveja, pois era emoção garantida voar com ele por aquelas estradas de terra, e uma oportunidade rara passar algumas horas com ele.

Meu pai tinha uma relação difícil com meu avô Paiva. Chamava-o de coronel, e o coronel queria que o filho engenheiro trabalhasse para ele. Minha mãe dizia que nos mudamos pro Rio porque meu pai não aguentava a pressão do seu pai. Meu avô plantava banana e mexerica. Quando era safra da banana, tinha festa da banana e se elegia a Miss Banana. Quando tinha a da mexerica, elegia-se a Miss Mexerica. O mesmo galpão ficava todo enfeitado, caixotes e folhas. Toda a cidade aparecia. Era uma fazenda de dois mil e quinhentos alqueires, enorme. Que sempre crescia. Nem toda ocupada: muita Mata Atlântica intacta, primitiva, e mananciais.

Muita gente de Eldorado trabalhava na fazenda: a cozinheira Silvéria, no seu enorme fogão a lenha, mandava mais do que minha avó. Magra, alta, cozinhava muito, e eu a pediria em casamento, se pudesse. O mordomo gay, Vadinho, servia de jardineiro. Morou depois com a minha avó em Santos e São Paulo, cuidou dela, dirigiu para ela, cozinhou, organizou festas, até morrer de aids.

Escutava Raul Seixas na vitrola, não gostava muito de crianças, mas quando viramos adolescentes passou a nos curtir: "Eu sou a luz das estrelas, eu sou o início, o meio e o fim...".

Era tudo ao contrário. Meu avô criava dogues alemães enormes, com nomes de cidades japonesas, Nara, Kyoto, mas quem mandava mesmo era uma cadela vira-lata chamada Gwendoline, pequena, irritadiça, odiava crianças, e quem fazia a segurança da casa era uma turma de gansos que vivia em bando e também odiava crianças; viviam nos atacando. Os cachorros eram enormes, mas muito mansos. Havia dois cavalos de raça, mas preferíamos os pangarés. Tinha duas araras e um papagaio. Um dia, um dos dogues alemães mansos os comeu.

Cida, a nossa babá, nascida em Eldorado, foi alfabetizada comigo. Ou melhor, dizem que a alfabetizavam e eu acabei aprendendo junto. Aprendeu a dirigir e tirou carta de motorista. Virou motorista eventual do meu pai. Ele se gabava para os amigos de que tinha uma "chofera" ao volante de seu Aero Willys desengonçado, numa época em que as mulheres ainda não ocupavam as mesmas posições dos homens.

Passávamos a maior parte do tempo de botas de borracha coloridas. Ou subindo em árvores frutíferas. Dormíamos em quartos enormes, só as crianças, com quatro beliches. Os quitutes eram doces de banana, caldinho de feijão, rabanadas, rabadas, chá de capim-limão, que arrancávamos aos tufos do quintal, pão na chapa, leite da fazenda, suco de mexerica e muita carne do gado de lá.

Eldorado era uma cidade pequena, não tinha mão de obra suficiente. Nos anos 60, vinham trabalhadores da Bahia. Sua chegada era um acontecimento. Os solteiros da fazenda ficavam numa grande casa de madeira, a Casa dos Solteiros. Para os casados havia muitas casinhas enfileiradas, com varanda, sala, dois quartos, cozinha e banheiro. Acho que foi meu pai quem as construiu.

Muitas vezes, atravessávamos a vila de trabalhadores e visitávamos suas casas, tomávamos café em canecas de metal com eles. Minha irmã caçula Babiu se lembra:

— Adorava ir comer a comida deles. Ia com a Cida, nossa babá, na casa de algum parente ou conhecido comer aquela comida feita num fogão a lenha. Adorava feijão, arroz com farinha, que eles ofereciam num prato de alumínio amassado. Achava delicioso o arroz molinho com feijão.

À noite, os adultos iam para a sala de estar do meu avô, com poltronas de couro, tapetes chineses e lareira. Só maiores de dez anos (ginasianos) tinham permissão de entrar. Quando os netos começaram a fazer dez anos, a regra mudou. Só maiores de catorze (colegiais) teriam então o privilégio de acompanhar a noitada dos adultos. Restava para os menores o terraço. Lá as brincadeiras de salão eram organizadas pelas tias e pelos primos mais animados e criativos. Fazíamos coral, com músicas da Jovem Guarda. Peças de teatro, em que representávamos histórias e lendas da região. Jogos de adivinhação. E cedo íamos para a cama, para, antes de o sol nascer, bebermos leite diretamente da vaca na cocheira ao lado.

A cidade de Eldorado ficava a pouco mais de dois quilômetros de distância. Às vezes, animados, fazíamos o percurso a pé, pela estrada de terra, todos os primos, cantando, para comprar sorvetes, um rolê pela praça central, visitar amigos, comprar varas de pesca e quem sabe arriscar uma sessão no único cinema da cidade, que passava de Chaplin a Mazzaropi, meu primeiro ídolo. Procissões em feriados religiosos, não perdíamos uma. Até cantávamos as músicas religiosas arrastadas e de vogais abertas, coro desafinado que percorria as ruas da cidade. E nós, os primos, arriscávamos a nos misturar entre os campos de pelada. Claro que as crianças de Eldorado jogavam muito bem, e tomávamos um baile.

Os trabalhadores da fazenda resolveram montar um time próprio, que treinava num campo ao lado de suas casinhas e tinha até uniforme. O clássico da região era contra o time de Eldorado, num campo gramado na entrada da cidade, cuja encosta também gramada servia de arquibancada. Caraitá era freguês de Eldorado, que era freguês de Jacupiranga.

Era a rotina dos três meses de férias de verão. Nem sempre os pais ficavam conosco. Deixavam a molecada lá, sob o comando da minha avó, sempre a mais animada e brincalhona, e só apareciam no Natal. As tias, como minha mãe, ficavam. Entediadas ou não.

Contávamos os dias até o Natal, quando os pais apareciam. Vestíamos a melhor roupa. Apenas no Natal era permitida a entrada de toda a criançada na misteriosa e imponente sala com peças de marfim. Na poltrona do meu avô havia duas cabeças de tigres com dentes esculpidas em madeira. Abriam-se as portas. E, solenemente, entrávamos, por fim, naquele templo sagrado, em que os adultos passavam as noites debatendo sobre os mistérios dos negócios e da vida. Num piano de cauda, eles se revezavam: Chopin, Beethoven, marchinhas de carnaval, choros. Bossa Nova? Não, muito ousado. Só minha irmã Veroca e minhas primas mais velhas tocavam no violão, que aprendiam nas férias com o professor e único músico de Eldorado, que era apaixonado por todas elas. Cada um exibia o seu dote. E, claro, rolava o "Bife", música infantil que todos sabiam tocar. Muitas mãozinhas apertavam juntas aquelas teclas. Revezavam-se. Batucavam.

O grande momento era, enfim, abrirmos os presentes. Embrulhados e secretos, ao redor de um pinheiro que cresceu na própria fazenda. Brinquedos do meu avô eram chineses, alemães, caros, sofisticados. Que vidão...

Para mim, toda criança tinha direito a uma vida como aquela. Não sei como alguém é capaz de aprender, sobreviver e trocar experiências, gerar filhos, ter paz espiritual, ser completo e solidário, se não vivenciou uma rotina no campo com muitos primos, abraçado por sua família, mimado e seguro, se não cruzou a névoa matinal de um vale ou o rio numa canoa feita de um tronco, sem contar estrelas cadentes, sem sentir na pele as águas geladas de um rio transparente ou os pelos de um cavalo entre as pernas, se não correu de gansos selvagens, não rolou pela lama, fugiu de jacarés, aprendeu a selar um cavalo e a cair dele, a tocar o gado, a comer frutas do pé, a pescar, caçar saci, conviver com os moleques de lá, beber café em caneca de metal, obedecer ao chefe dos vaqueiros, que, diziam, tinha vindo a cavalo da Bahia e sabia laçar um boi de primeira.

Eu era uma das crianças mais felizes do mundo.

Porém, a cortina se abriu e começou o segundo ato do espetáculo, que até então era uma farsa, mas se revelou uma tragédia. Meu pai desapareceu em 1971, no mesmo ano em que morreu meu tio mais velho, Carlos. Meu avô morreu dois anos depois. De enfarto. De tristeza. Logo depois, outro tio morreu num acidente de carro na estrada que ligava a fazenda a São Paulo. Um terremoto abriu uma fenda. O sentido de tudo se modificou. Nos perguntamos o que alimentou uma vingança tão caprichada e cruel. O que fez os deuses da felicidade se voltarem contra nós. Morreu uma prima, a mais animada, que não tinha nem dezoito anos, de uma doença misteriosa. Depois outro primo, um menino lindo, num acidente de moto em Santos.

A tragédia dos Paiva foi um contraste com a alegria das décadas anteriores. A família ruiu: não tinha estrutura emocional para administrar tudo aquilo. Os bens começaram a ser vendidos. Ousaram se desfazer daquela fazenda tão fundamental para a vida de todos nós. A grama deixou de ser aparada. O gado morreu doente. O rio ficou poluído. A areia de suas praias foi vendida para a construção civil. Cortaram as árvores de mexerica. Chegaram a televisão e o telefone. Até uma pequena favela foi erguida na outra margem do rio da cidade. E camelôs dominam a praça que era exclusiva do *footing*.

No entanto, o céu é o mesmo. As montanhas ainda estão cobertas pela mata densa. O professor de violão ainda mora lá. Não deve ter tantas paixões como antes e agora deve ensinar também Renato Russo e Cazuza.

Ninguém sabe ao certo se existe precaução contra a demência ou a falta de memória, como o Alzheimer. A causa. Se é genético, como começa. Mas sabemos como termina. Tem gente que pensa que exercitar o raciocínio ajuda a evitar as demências inevitáveis da idade. Um tio passava horas fazendo palavras cruzadas. Dizia que precisava exercitar o cérebro. Ficava sentado numa poltrona, com os pés para cima, a TV ligada, preenchendo palavras cruzadas, sem exercitar um músculo. Não morreu de Alzheimer.

A geração dos meus pais é sedentária. Fumava cigarro, cachimbo e charuto. Bebia um uisquinho para relaxar, quando chegava do trabalho. Não sabia como agia o colesterol. Talvez não temesse a velhice e a morte como nós.

Hoje, o corpo resiste bem à degradação natural. O cérebro, não. Conseguimos enganar o envelhecimento com dietas, vida saudável, sem abusos ou vícios, avanços da medicina, drogas para o humor, a pressão, a gordura e o açúcar no sangue. Não conseguimos enganar o cérebro. Minha mãe tem uma saúde invejável até. Nunca fica ou ficou doente. Era magra. Era advogada atuante. Lia sem parar. Fazia tudo a pé. Andava de metrô. Nadava no mar de Búzios. No entanto...

Já acusaram os adoçantes artificiais. Minha mãe não colocava gotas, mas jatos de adoçante líquido no café. Já culparam o alumínio presente em torneiras, quentinhas, latas, enlatados. Minha mãe, a partir de certa idade, só comia congelados que esquentava na forminha de alumínio no micro-ondas. Recentemente, falaram que beber pouca água dá demência. Minha mãe não bebia água, quase nunca, algo que me afligia enormemente. Minha mãe andava pelo bairro. Mas não se exercitava.

Meus tios tinham entre trinta e quarenta anos quando dei os primeiros passos naquela fazenda. Nunca os vi se exercitarem. Não os vi nadando, cavalgando ou remando. Nunca vi nenhum adulto com roupa de ginástica se alongando para dar uma corridinha. Só a criançada corria solta. Alucinada. Meus tios não saíam do sofá.

Alguns acham que o mal de Alzheimer aparece em alguém com um trauma profundo. O da minha mãe não tem fim. Se os pacientes com a doença tivessem capacidade cognitiva e de mobilização, logo se uniriam contra o nome dela, que passa uma imagem negativa. O mal! O mal de Parkinson. O mal de Alzheimer.

Toda vez que alguém diz "sua mãe tem mal de Alzheimer", eu corrijo: "Ela tem Alzheimer. Não mal de Parkinson". Empurro para outros o substantivo, uma prova da desunião dos maus, uma maldade contra aqueles que têm Parkinson, tá, não "mal de". Mal de Parkinson e de Alzheimer não têm nada a ver. Apesar de os dois ocorrerem em ligações nervosas do cérebro. Curioso como não se diz mal de câncer, mal de distrofia muscular, mal de gripe, mal de alergia. Mas Parkinson e Alzheimer são um mal. Como mal de Crohn (a doença de Crohn), inflamação crônica no intestino.

O *Manual diagnóstico e estatístico de transtornos mentais*, elaborado pela American Psychiatric Association, separa os transtornos em mentais, por substâncias, esquizofrenia e psicóticos, do humor, ansiedade, factícios, dissociativos, sexuais e de identidade de gênero, de alimentação, sono, controle dos impulsos, de adaptação e personalidade. São mais de trezentos e noventa abusos, demências e transtornos com códigos e diagnósticos. Alguns você conhece, como TOC, voyeurismo, de aprendizagem (SOE), síndrome de Asperger, pedofilia, bipolaridade, ejaculação precoce, exibicionismo, masoquismo, anorexia, bulimia, cleptomania. Alzheimer está no Apêndice F (código 290-0). É um transtorno. Não tem data exata para se manifestar. Nem motivos visíveis. Detecta-se através da ressonância magnética do cérebro. Não tem cura. Pode-se viver anos com a doença.

Cometas da memória

Mais uma vez estávamos no metrô, em 2005, eu, minha mãe, de novo com minha irmã Veroca. Descemos no Trianon-Masp. Era dia de Parada Gay. Não sabíamos a dimensão que aquele evento teria anos depois no Brasil. Eram dezenas de milhares de pessoas na época. Ficamos na calçada da avenida Paulista na altura do prédio da Justiça Federal. A maioria dos militantes e ativistas vai no chão. É festivo, é agregador, é político e, por ser político, lá estávamos nós. Me surpreendeu que minha mãe quisesse ir. Não sabia que a intolerância e a causa LGBT a mobilizavam.

A parada é conduzida por trios elétricos. Alguns patrocinados por boates de todos os gêneros. Percebi que uma dezena de gogo boys do alto de um carro acenava para nós. Olhei ao redor. Era na nossa direção que acenavam. Então reparamos na minha mãe. Ela acenava para os carros alegóricos, com strippers dançando uma música de boate (pancadão). Ela acenava, eles respondiam. Ela chorava. Acenava e chorava, emocionada, enquanto eles mandavam beijos e rebolavam. Foi das poucas vezes que a vi chorar. Minha cabeça não encontra uma explicação razoável para isso. Talvez nem ela conseguisse explicar.

É daquelas peças que o Alzheimer apronta e que sempre surpreende. Doença que não apenas afeta a memória, mas embaralha emoções, enaltece desagrados que não existem, muda o humor até do mais calculista dos matemáticos.

Minha mãe formou uma clássica família burguesa do mundo ocidental do pós-guerra. Não tinha amigos gays. Não assumidos. Só anos depois uma amiga sua se tornaria lésbica militante. Minha casa tinha empregada, e a empregada (ou babá) passava mais tempo com os filhos do que ela. No final dos anos 60, enquanto a revolução sexual transformava as mulheres e as relações, ela andava entediada com a carreira de dona de casa, sempre bonita à espera do seu Don Draper. Que não era um publicitário alcoólatra de *Mad Men*, mas fumava tanto quanto (ou mais). Queria uma mulher sempre bonita à espera, com os filhos na cama, uísque com três pedrinhas de gelo, a janta pronta. Quando, por sorte, Don podia sair, ligava para a minha mãe, Betty, e avisava do jantar de negócios, do compromisso na casa de um amigo, da peça de teatro, do show, do jazz, do restaurante novo, do carteado. Para ela ficar bonita. Ele passaria às oito para pegá-la. E ela ficava bonita. As viagens do casal para fora do Brasil duravam meses. Ficávamos com as vovós. Don tinha orgulho de sua Betty sociável, elegante, com bom gosto, culta, que costurava as próprias roupas e as dele, inclusive ternos, um hobby do qual nunca abriu mão, e que falava francês melhor do que ele.

Meu pai viajava demais. Figura sempre ausente. Minha mãe me educou sozinha. Isso é bom? Ruim? Não sei... Ele chegou a temer que eu ficasse "afeminado". Me tirou de uma escola construtivista alternativa do bairro, em que estudavam os filhos dos seus amigos, em que me conheciam pelo primeiro nome, apelido, e me matriculou numa escola pública na praça da República, em que me chamavam pelo sobrenome, quando me chamavam, frequentada por uns dois mil alunos com o mesmo uniforme.

Mas a qualidade do ensino público decaía na proporção em que a ditadura se firmava. Não fiquei afeminado nem mimado. Fui mal alfabetizado. Virei um aluno desinteressado. Minha mãe me confessou que ficou furiosa com tal decisão, mas não podia com a teimosia dele. Chegou a me levar nas primeiras vezes. Atravessávamos a rua de mãos dadas. Eu, em pânico, e ela, me acalmando. Chegou a fazer um reforço em história e português ao perceber o ensino defasado, comparado ao das minhas irmãs. Sofri naquela escola. Mimado. O menino da casa. O queridinho da casa. '

Desde pequeno, me fascinava o rico mundo das minhas irmãs, o mundo feminino, os detalhes, os aromas, as cores, os penduricalhos. Minha rotina proustiana era envolta por perfumes, delicadezas e mimos. A família acordava com o mesmo toque do despertador. Minhas irmãs estudavam de manhã. Eu estudava de manhã em São Paulo e à tarde no Rio. Como se eu estivesse na coxia de um teatro de revista, assistia ao corre-corre das quatro irmãs matriculadas no rigoroso colégio religioso.

Enquanto meu uniforme era um short azul de brim, uma camiseta com o logo da escola, um par de sapatos pretos, dos mais fajutos, com meias brancas até as canelas, elas tinham que lidar com um vestido de brim pesado, torçal, laço, faixa e uma cruz pendurada. Uma ajudava a outra a guarnecer e amarrar a cintura. Usavam meias, roupas de baixo, sem contar a maquiagem, o encaixe de grampos, brincos, pulseiras e anéis, além de adornos com nomes estranhos, como piranha e tiara. Havia trombadas no corredor. Brigas. Mãos disputavam peças do figurino. Empurra-empurra. Paninhos com água morna e limão limpavam manchas. As quatro transformavam aquela casa numa trincheira sob bombardeio.

De manhã, elas partiam, eu ficava com a minha mãe. Ou melhor, assistia à minha mãe. Ela fazia tudo com calma. Costurava. Ouvia música. Lia. Falava ao telefone. Eu achava minha mãe linda, classuda. Elegante e magra. Italiana morena de olhos claros. Perfumada. Cuidadosa com o cabelo, com a roupa.

À noite, nos reuníamos. Minhas irmãs passavam horas ao telefone com pinças, esmaltes e escovas de cabelo, diante de espelhos. Cada uma examinava com cuidado cada centímetro do próprio corpo. Enquanto eu nem cuidara do joelho ralado na escola, elas pintavam as unhas dos pés e das mãos, raspavam as pernas com a gilete do pai ausente, usavam cremes, pós e batons. Mulheres dão muita importância aos espelhos. Na minha geração, o menino que se olhasse muito no espelho seria "bichona" no futuro. Não tinha espelho em vestiários masculinos. Se tinha, não podíamos olhar que logo vinha um colega nos xingar:

— Bicha!

Cuidar da aparência na fase de moleque era coisa de bicha, afrescalhado, afeminado. E ninguém com suas faculdades mentais em ordem se arriscaria a ganhar essa fama naquela época. Enquanto eu apenas chacoalhava a cabeça ao sair do banho, como um cão vira-lata saindo do mar, elas enrolavam com destreza a toalha na cabeça, antes de usarem o secador. Um laço sofisticado, que nunca entendi como fazer. Lembrava um adorno egípcio. Uma vez, tentei enlaçar a cabeça com uma toalha. Não parava na cabeça. Não entendia por que na cabeça delas parava, e na minha, nada. Dei um nó. Me enrolei todo. Quase morri sufocado. Sem sucesso. Só as mulheres conseguem.

Dividia o banheiro com as irmãs. A sós, passei esmalte nos dedos. Cheirei cremes. Ataquei formigas da pia com uma pinça em cada mão. Grudei presilhas nas minhas orelhas, elásticos no cabelo, piranhas no rabo do gato. Na lixeira, me intrigavam os pacotinhos embrulhados em papel higiênico. Abri alguns deles e observei, maravilhado, o sangue escondido, proibido. Eu sabia que elas não estavam doentes, nem raladas. Ninguém me explicou o significado daquele sangue secreto; pedaço do misterioso mundo feminino. Vi no banheiro um sutiã. Os dedos percorreram o tecido delicado. Examinei a intrincada engenhoca e armação de alças, presilhas, elásticos e um fecho. Que sofisticada obra de engenharia é o sutiã. Fiz dele um estilingue. Depois de me certificar de que a porta estava trancada, experimentei por cima da roupa. Percebi o quanto é inoperante o fecho. Senti as alças apertarem os ombros, o tecido segurar algo que faltava, a armação dificultar os movimentos dos braços. Olhei de novo no espelho e ri. Agora, sim, eu estava comprovadamente embichado. Colégio público é pouco. Escola militar!

Vi durante a vida minha mãe se arrumar, desfilar, ir e vir do espelho, ir e vir do banheiro, testar combinações, se maquiar, se pentear. Tinha um andar elegante. Ensaiava passos de dança pelo quarto. Eu gostava do jeito que ela dançava. Tudo no passado.

Quando meu pai me colocou na escola pública na praça da República, o queridinho da casa de repente virou um anônimo uniformizado, solitário, cercado por crianças que usavam o mesmo terno desconfortável e antiquado. Encontrei uma saída. Minha avó paterna, Cecy, animada, carioca de nascimento, morava em frente à escola, na avenida Ipiranga com a São Luís. Eu fugia da escola. Pedia para um pedestre me ajudar a atravessar a avenida e passava a manhã dançando Roberto Carlos com a velhinha de cabelo azul. Conheci os penduricalhos de outra geração, como cintas-ligas e anágua. Brinquei com joias pesadas. Dancei em sapatos altos. Me cobri com um casaco de pele e fingi ser um animal selvagem, atacando a governanta da casa. A visita virou rotina. Dormia no seu colo, que cheirava a talco, até a hora de voltar para casa depois da "aula".

Lucila tinha cabelos encaracolados. Era sorridente e mais baixa do que o normal. Desde que a conheci em São Paulo, no primário da escola construtivista do bairro, fiquei apaixonado. Considero essa minha primeira experiência de *passione* (em latim, "sofrer tardio"). Pensava nela antes de dormir. Antes de sair da cama.

Em 1965, meu pai decidiu que nos mudaríamos para o Rio de Janeiro. Ele fugia do estigma de paulista comunista inimigo da ditadura. Cassado e exilado em 1964, voltou para o Brasil no mesmo ano, clandestinamente, e imaginava ter menos visibilidade e mais oportunidades na Guanabara. Quando me comunicaram, sofri antecipadamente de saudades. Lucila... Como seria a minha vida sem ela? Caminhei infeliz pela casa. Estava infeliz na nova escola. Seria infeliz como um tenor de ópera alemã no Rio de Janeiro. Não me conformava.

Fui corrompido pela oferta de uma enorme festa de despedida. Toda a escola alternativa e parte da religiosa tradicional seriam convidadas. Ninguém da escola pública do Centro, já que não deu tempo para fazer amigos.

Lucila então conheceria minha casa. Correria pelo quintal. Brincaríamos. Minha mãe se revelou uma festeira de alta classe. Foi perfeita. Teve palhaço e mágico. Apareceu uma multidão. Garotos da escola com primos, amigos de amigos, primos de amigos. A casa térrea com um grande quintal em que morávamos no Pacaembu parecia uma quermesse. Eu nem sabia que tinha tantos amigos. Era difícil se locomover. Não encontrava a minha paixão. Me lembro de que, num certo momento, fui para a garagem, sufocado, estressado, e lá tinha uma enorme mesa de autorama. E ela apareceu, com aquele cabelo dourado, cacheado como molas. Ficamos conversando. Não fomos ver outro número do palhaço. Passamos alguns minutos (que na memória pareceram o dia inteiro) na garagem. Foi a única vez que demos vazão à nossa paixão de garotos de seis anos de idade. Enfim nos separaram. Ela foi embora sem se despedir. Aflição com a qual convivi por anos.

Se eu não tivesse que me mudar, eu sabia, seríamos o casal mais feliz da cidade.

Em fevereiro, fomos para o Rio.

A reforma da casa alugada no Leblon não estava pronta, reforma que, acredito, ele tocava. Fiquei com meus pais, a Nalu e minha irmã caçula no Hotel Glória. Era uma suíte ampla, com quarto e sala, num lugar paradisíaco, com uma vista das mais lindas. Ele saía para trabalhar, e nós perambulávamos pelo hotel. Foram dois meses de luxo, tomando um café da manhã nababesco, nos deleitando na piscina e correndo pelos corredores.

Fomos enfim morar no Leblon, a três quadras da favela do Pinto. A casa nunca ficou pronta. A obra não se completava, o muro não estava inteiramente erguido, tinha uma montanha de areia de construção no quintal, a alegria dos meus novos amigos, que brincavam nela, faziam túneis e estradas. Aquele monte de areia ficou uns bons anos ali. Meu pai estava sempre ocupado demais com obras para terminar a da própria casa.

Na época, o bairro não tinha o status de hoje. Tinha essa favela e outra na Lagoa, com casas em palafitas. E um conjunto popular inovador que assustava a elite, a Cruzada, o primeiro do gênero — criado por dom Hélder Câmara. Bacana era morar em Copacabana e Ipanema.

Jogávamos futebol na rua. Eventualmente, o jogo era interrompido:

— Olha o carro!

A regra era parar imediatamente. Cada rua tinha um time, com moradores da favela. A maior glória era jogar no campinho de terra da Cruzada. Lá, havia torcida e campeonato organizado, com tabela e troféus.

Minha rotina era de uma paz que nunca mais encontrei. Vivia na ex-capital do país, mas era como se eu estivesse numa vila pacata. Aos oito anos, eu pegava ônibus para ir à escola, Colégio Andrews, em Botafogo. Eu e toda a classe. Já na infância aprendíamos a andar de ônibus. De camiseta de algodão e bermuda azul, eu cruzava a favela. Invejava os amigos que não tinham aula e jogavam bola o dia inteiro.

Nessa escola reencontrei meu melhor amigo, Edu Gasparian, outro paulista exilado. Estudamos na mesma classe. Ele já estava enturmado, o que me ajudou. Ele também tinha irmãs, tinha diálogo com garotas. Ficamos amigos de Roberta e Isabel, duas morenas amadas por toda a escola.

Nas aulas, dividíamos a mesa com elas. Eu com Roberta, ele com Isabel, conhecida como Isaboa. Ou o contrário. Passávamos os recreios com elas, para a inveja coletiva. Nas aulas de música, tocávamos triângulo, elas, coco. Ou o contrário. Ficávamos juntos, fora do ritmo, tocando outra música, mais engraçada, nossa.

Havia um obstáculo para o desenvolvimento de paixões ali. As duas eram maiores do que nós. Bem maiores. Se não me engano, Roberta era a mais alta de todas. Para um moleque, isso é um entrave, especialmente aos oito anos. Apesar de toda a escola achar que namorávamos as duas, era pura amizade.

Não me esquecia de Lucila e seus cachos malucos.

Eu circulava pelo bairro de bicicleta. Cruzava favelas. Pegava atalhos dentro delas. Muitos garotos eu conhecia de lá, jogava bola com eles, na praia, nas quadras. Muitas vezes, parava para cumprimentar e papear com amigos. Nunca fui assaltado. Nunca sofri qualquer tipo de violência. Psicopatia social não estava em nossos dicionários. Pulávamos o muro do Clube Paissandu para jogar bola (ninguém era sócio). Depois, dividíamos o milk-shake com os que não tinham dinheiro. Enfiávamos vários canudinhos num mesmo copo e contávamos até três. Sorte daqueles que, com bons pulmões, conseguissem sugar mais rápido o sorvete batido.

A vida no Rio, diferente de São Paulo, era na rua e na praia. Empinando pipa e jogando bolas de gude nos canteiros de terra do Leblon. No domingo, lotávamos uma Kombi para ir ao Maracanã, assistir ao Flamengo, time sediado no Leblon. Fio Maravilha era nosso ídolo. Os pais se revezavam. O meu nos levou certa vez. Lembro que, quando subíamos o viaduto para entrar no túnel Rebouças, um moleque arrancou a bandeira do Flamengo que eu segurava. Gritamos:

— Para o carro, para o carro!

Ele parou. Descemos uns cinco moleques atrás do ladrãozinho. Em segundos, o alcançamos e resgatamos nossa bandeira. Trocamos uma infinidade de palavrões, voltamos para o carro como heróis. Meu pai ficou mais branco do que uma bandeira do Santos — o seu time, desconfio, já que era da cidade. E surpreso: seu filho já estava mais carioca do que muitos cariocas.

Num dia de semana, a praia amanheceu apinhada. Toda a favela correu para lá. Estavam chamuscados. Crianças carregavam pertences. Na água, bonecas com fuligem. A favela do Pinto tinha pegado fogo. Foram os militares, diziam. Viram helicópteros do Exército sobrevoando a favela na noite da tragédia. O tumulto durou uns dias. Certa manhã, tomávamos café e um grupo de moleques invadiu a nossa casa. Não falaram nada. Foram até a geladeira, comeram com as mãos o que encontraram. Nem nos levantamos da mesa. Eram meus vizinhos da favela do Pinto, remanejados para o outro lado da cidade.

A área abandonada do Leblon foi aterrada em tempo recorde. Em meses, subiram prédios de até dezessete andares. Os apartamentos foram comprados na maioria por militares, que receberam empréstimos descontados diretamente da folha de pagamento (soldos). O condomínio, que se estendia por grandes quadras, com uma praça no meio, recebeu o apelido de Selva de Pedra, em homenagem à novela da Globo. A especulação imobiliária expulsou o democrático futebol de rua. Enviaram os pobres para os guetos. E o convívio pacífico virou passado e ilusão.

Toda a molecada do bairro fazia uma conexão no Central-Gávea. No ginásio, com dez, onze anos, descíamos depois da escola para assistir a filmes de arte. Educação sexual formal naquele tempo era uma piada, quando havia. O que aprendíamos estava nos livros de medicina legal, no catecismo do Zéfiro, vendido clandestinamente nas bancas, e nos filmes proibidos para menores.

Instalado na rua Jardim Botânico, na rota dos ônibus que vinham de Botafogo, o Cinema Floresta, inaugurado em 1922, que em 1960 mudou o nome para Jussara, educou uma geração. Não sabíamos a diferença entre Nouvelle Vague e Cinema Novo. Nem que aquelas imagens causavam uma revolução na linguagem. Não guardávamos os nomes dos diretores. Lotávamos a sala, garotos das escolas da região, pois o porteiro não pedia carteirinha e queríamos ver mulheres nuas. Não era pornografia, era arte. Talvez o hábito tenha formado uma geração de cinéfilos. Muitos sonharam com Norma Bengell nua em pelo correndo na direção da câmera, numa praia deserta, como se suplicasse pelo nosso carinho — cena inesquecível, o primeiro nu frontal do cinema brasileiro, de *Os cafajestes*. Tônia Carrero, Norma, Joana Fomm, Odete Lara, Leila Diniz foram nossas primeiras musas. Admirávamos os filmes italianos com aquelas mulheres com curvas, decotes, lábios grossos. Os franceses, com suas lindas atrizes, despudoradas, que não se intimidavam diante das câmeras e ainda por cima ganhavam prêmios. Sonhávamos com as personagens volumosas e pálidas de Fellini.

As incongruências do regime se ampliaram. Ele endurecia e censurava, empastelava e prendia, proibia peças e livros, mas não a pornochanchada, na carona da revolução sexual.

Na TV, Lucélia Santos botava nossas mães para chorar no dramalhão *Escrava Isaura*. Na sala do cinema cheio de baratas, nos apertávamos para vê-la nua em *Já não se faz amor como antigamente.* Os nomes provocavam a imaginação: *Eu dou o que ela gosta* ou o clássico *A ilha das cangaceiras virgens.*

Quando passei para o ginasial do Colégio Andrews, mudamos de prédio: Praia de Botafogo. Um prédio tombado, antigo, bonito. Recepcionamos novas turmas e conheci Carla, loirinha enigmática, linda como a vista do Pão de Açúcar pela janela da sala de artes. Era do meu tamanho, e nutri por ela uma paixão secreta. Quando ela passava, eu tinha taquicardia. O acanhamento era na mesma proporção da minha admiração. Nunca ouviu a minha voz. Puro amor platônico.

A maioria de nós compreendia o que significava amor platônico e já vivera o seu, idealizara uma garota e sofrera por causa de uma timidez revoltante, comum na idade, apesar de a maioria não ter ideia de quem foi Platão, nem de que seu amor foi definido bem depois. Carla despertava amor platônico em parte do Colégio Andrews. Seu pai, Carlinhos Niemeyer, era quem fazia o *Canal 100*, telejornal que revolucionou a linguagem, exibido antes dos filmes e que terminava com imagens em câmera lenta de lances do último clássico de futebol, sob uma trilha sonora que sabíamos de cor. Queríamos Carla, queríamos conviver com sua família, sermos convidados para ver os jogos de perto e termos em mãos aquela loirinha linda e seu acervo.

A ditadura apertou. A família do Edu se exilou em Londres. Ele me mandava cartas perguntando de futebol e de Carla. Eu mentia. Dizia que estávamos namorando. Que ficávamos na casa dela nos pegando, aos onze anos de idade. Meu pai foi preso e morto naquele ano. Me fechei. Meu olhar ficou triste, como o de nenhum outro moleque. Muitos passaram a me evitar. Eu era filho de um terrorista que atrapalhava o desenvolvimento do país, eles aprendiam com alguns pais e professores, liam na imprensa, viam nos telejornais. Meu pai era membro "do Terror"! Em 1971, eu ficava muito tempo sozinho no banco da escola. Aos poucos amigos, eu tentava explicar que meu pai não era bandido. A maioria não tinha ideia do que se passava. A censura e o milagre brasileiro cegavam.

No meio do ano, minha família foi obrigada a sair do Rio. Na festa de São João, comuniquei a mudança. Muitos vieram se despedir. Eu estava numa barraquinha comprando doces quando Carla se aproximou. Fiquei encantado. Ela disse o meu nome, Marrrcelo, com aquele sotaque carioca delicioso. Me beijou.

— Você vai embora, Marrrcelo?

— Vou — eu disse.

— E não volta mais?

— Não sei.

— Por causa do seu pai?

— Por causa de um monte de coisas.

— Vai pra onde?

— Vou morar em Santos, a família do meu pai é de lá.

— E você volta?

— Não sei.

Mais um caso de amor que a ditadura me fez deixar para trás.

Àquela altura, não sabíamos se meu pai estava vivo ou morto. Eu poderia voltar ao Rio. Não fazia sentido largar tudo para trás. Mas não voltei. Àquela altura, meses depois da prisão, minha mãe sabia que meu pai estava morto. Mas eu não.

Mãe-protocolo

Minha mãe nunca foi a uma reunião de pais e mestres nas escolas em que estudei, no Rio e em São Paulo, não lia meus boletins nem meus trabalhos, o que me deixava perplexo, radicalmente decepcionado, me fazia sentir o mais abandonado dos alunos pela mais desinteressada das mães. Gesto que, por outro lado, me obrigou desde cedo a tentar resolver meus próprios problemas, batendo nas portas de quem eu poderia bater, de coordenadores, diretores, professores e amigos. Deixa eu fazer uma correção: minha mãe nunca foi a uma reunião de pais e mestres nas escolas em que estudei depois de ter ficado viúva aos quarenta e um anos. Tinha mais o que fazer. Confiava no bom senso das escolas e delegava aos cinco filhos a missão de zelarem pela própria educação.

Existem muitas minhas mães. Ela virou outra, depois de viúva. Passou a andar com gente muito mais jovem ao frequentar a faculdade de direito. Passou a sair com amigas desquitadas, viúvas ou solteiras. Passou a sair. A ir a festinhas. A namorar escondida de nós, depois passou a assumir. Era charmosa. Não ficou no balcão da solidão bebendo lágrimas de sal. E trabalhava demais.

Aprendi cedo que minha mãe não era a pessoa ideal para se fazer manha, choramingar por nada, reclamar de bobagem. Minhas tias morriam de pena de nós, que, bebês, ficávamos chorando meia hora sem que ela acudisse. Era a forma que acreditava ideal para educar um filho. Não nos mimou, palmas. Mas criou cinco filhos chorões.

Confesso que eu queria uma mãe sentada numa sala de uma escola vazia e silenciosa, numa noite de segunda-feira, ouvindo dos meus professores os meus problemas educacionais, emocionais e comportamentais. E que me desse duras, indicasse caminhos. Será? Indiretamente, ela foi aliada da minha rebeldia juvenil.

Antes de completar dezoito anos, eu pegava seu carro, um Corcel 1 azul, quase todas as noites. Com amigos, rodava a cidade. Não me lembro de ter alguma vez colocado o banco e os espelhos na posição original, nem de ter esvaziado o cinzeiro. Como se não me importasse. Ou, pior, quisesse ser flagrado. Evidente que de manhã, quando ela o pegava, percebia que a farra do filho menor de idade tinha sido pesada e ilícita. Ela nunca me deu uma dura por causa disso. Nunca me deu uma dura na vida. Já bateu o telefone na minha cara, mas uma bronca?... Só mães italianas descontroladas fazem isso.

Uma manhã, ela me disse algo como:

— Se alguma vez a polícia te parar, não se esqueça de dizer que sua mãe é advogada e que o documento está no porta-luvas, com minha carteira da OAB.

A praticidade era a sua loucura. E a de muitos advogados.

Aconteceu uma vez. Fui parado numa blitz na avenida Pacaembu. Eu estava sozinho, sóbrio, "de menor". Era a época em que a PM não chamava ninguém de cidadão, nem pedia os documentos, ordenava:

— Desce, desce!

Mas, no meu caso, estavam estranhamente calmos. Não me mandaram descer, mãos na cabeça, encosta aí! Eu que desci. Fui logo dizendo que tinha esquecido a carteira (que eu não tinha), que o carro era da minha mãe, a-de-vo-ga-da, e que os documentos do carro estavam no porta-luvas, com a carteira dela da Ordem, Ordem dos A-de-vo-ga-dos.

As palavras mágicas funcionaram, a senha para que eles não se metessem com alguém sem carteira, mas, com documento da Ordem, a carteirada foi suficiente para me liberarem. Era madrugada, estavam sonados. Estavam no bairro dos filhinhos de papai, estavam acostumados com carteiradas. Já tinham parado filhos de a-de-vo-ga--dos, de-pu-ta-dos, pro-mo-to-res, ju-í-zes, mi-nis-tros, e, antes que se soletrassem as autoridades que poderiam lhes causar problemas, devem ter se arrependido do local da batida policial e decidido fazer uma blitz num bairro mais pobre.

Minha mãe me ensinou algo que não se ensinava nas escolas, em parte alguma: como tratar (bem) uma garota. Regras básicas de etiqueta que, se serviam para os adultos, deveriam servir para a garotada. Ensinamentos sobre como tratar uma mulher nos anos 50 e 60: ter sempre um isqueiro à mão para acender os cigarros, oferecer bebida, andar na calçada do lado mais perto da rua, abrir portas, dar passagem, levantar-se da mesa para cumprimentar, tirar o chapéu, ajudar a sentar puxando a cadeira e, o que nunca me aconteceu, colocar o capote na poça d'água para ela não se sujar ou carregá-la no colo num lamaçal.

Algumas regras são polêmicas. Num bar ou restaurante, você deve deixar a mulher entrar primeiro? Já li de profissionais de etiqueta que o homem deve entrar antes, para checar se o ambiente é suficientemente respeitoso. Ele entra, observa e, a seu critério, deixa a mulher entrar. Minha mãe me ensinou o contrário. Pensa bem, ela tem razão. Primeiro, deixe A MULHER avaliar se o ambiente é "respeitoso". O que é respeitoso para um homem vale para uma mulher? Ela deve ser protegida pelas convicções dele, para prosseguir o regime tutelar?

Acabei seguindo a regra da minha mãe.

Sempre fui um cara considerado fofo por tudo isso. Não sei se isso me ajudava com as garotas. Na verdade, ser fofo era um entrave. Ser fofo era bom para os pais delas. A garota não queria um sujeito fofo, mas um cara misterioso, interessante, gato demais, que tocava algum instrumento, que fosse solitário, com um cabelo indefinido, uma barba mal aparada e um olhar fulminantemente sensual, tal qual o de um *sniper*. Fiz sucesso entre amigos dos meus pais, já que, desde moleque, colocava o guardanapo no colo, esperava todos se servirem para comer (outra regra contestada, pois, dizem, especialmente a italianada, que comida quente não deve esfriar), usava o talher certo, não colocava os cotovelos na mesa, esperava todos terminarem para pedir licença e, se aprovada, saía da mesa, deixava os adultos com problemas de adultos, nunca repetia o prato. Não me esquecia de depositar os talheres em paralelo sobre o prato quando terminava. Sim, um fofo completo, bem treinado, que encantava as mães das garotas, não as garotas, que deviam me achar meio esquisito, fofo demais.

Minha mãe me ensinou tudo isso. Reprimia um filho sempre que ele ralasse o cotovelo na mesa. Impunha a maneira correta de comer, cortar carne (com a faca na mão direita, mesmo os destros), sentar-se com a coluna reta.

Quando nos mudamos de volta para São Paulo, em 1974, fui convidado para uma festa numa mansão no Morumbi, de uma garota de quinze anos de uma família que era uma entidade paulistana e fez história — para enumerar apenas um feito, conspirou para a proclamação da República. Era uma honra estar ali. Minha mãe aconselhou:

— Você tem que dançar com a dona da festa, faz parte das regras.

Havia centenas de adolescentes de muitas escolas de São Paulo. Minha turma tinha acabado de estudar Max Weber. Façanha da professora Zilda, do primeiro colegial, que dava textos sobre marxismo na escola da elite. Nos doutrinou rapidinho. Analisávamos na festa os fatos sociais, dividíamos nossas ações fundamentais, estávamos pouco nos lixando para o "Isn't She Lovely" do Stevie Wonder que rolava na pista. No primeiro colegial, todos da minha turma viraram marxistas, inclusive os filhos de banqueiros. No segundo, existencialistas. No terceiro, nem uma coisa nem outra, a prioridade era o vestibular e a (insípida) iniciação sexual.

Eu sabia que chegaria o momento de dançar com a pequena aniversariante, que eu não conhecia, nem sei por que me convidara ou se o convite se estendia a toda a escola. Deixei meus amigos, que analisavam os quadros da casa e criticavam o paradoxo da burguesia que colecionava o comunista Portinari, fui até ela, que conversava com umas amigas, e a tirei para dançar. Ela era um pouco mais baixa do que eu, estava de vestido branco, tinha os cabelos castanhos encaracolados, nem sei se estava a fim de dançar, não ficou feliz nem exultante nem eufórica nem entediada nem demonstrou se meu convite fora bem-vindo ou fazia parte de um conjunto de regras obsoletas. Aceitou. Como eu, seguia também uma regra que sua mãe, tradicional como a minha, que deve ter estudado no mesmo colégio tradicional que a minha, ensinou. Se um rapazola a tirar para dançar, não pode recusar.

Fomos para o meio da pista. Poucas pessoas dançavam. Na época, dançávamos com gestos minimalistas. Rebolava-se pouco: os braços dobrados, mãos fechadas, duas para a direita, duas para a esquerda, sem tirar os pés do chão, com os cotovelos erguidos. Era uma música disco, que eu desprezava. Eu preferia rock progressivo. Quando as mãos iam para a direita, o joelho esquerdo dobrava e o direito se esticava. Quando iam para a esquerda, um joelho dobrava e o outro se esticava. Dançava-se assim qualquer música, funk, discoteca, soul. Dançou-se assim por anos. Mas Zeppelin a gente dançava diferente: com os dois pés fixos no chão e os braços balançando, de olhos fechados, rebolávamos viajando, como se surfássemos na pista. Só no punk tudo mudou, o que se estendeu para o pós-punk, dark e new wave. Passamos a chutar, alternando a direita e a esquerda. Chutava-se com o pé direito, socava num jab com a mão direita e alternava. Minha geração até hoje dança assim. Percebe-se em festas e casamentos que nós, tiozinhos, ocupamos as pistas para dançar os clássicos. Se tem swing, herança da era "disco", é mãozinhas pra lá e pra cá. Se é rock, são chutinhos e soquinhos no ar.

Detalhe importante. Não se olhava para o companheiro, mas para os lados, como se se procurasse a bola em um jogo de tênis. Olhava-se o movimento na pista, o vazio da existência, os garçons, os quadros nas paredes. No punk, olhava-se a injustiça social com ódio, com um olhar de quem, a qualquer momento, esfaquearia alguém, esgoelaria o DJ, quebraria tudo, em revolta contra a ausência do Estado e a implementação do liberalismo individualista podre que atacava as instituições.

Ela dançou comigo sem demonstrar alegria. Dançou protocolarmente, dois pra lá, dois pra cá. Minha vista era um gramado imenso, uma piscina e a cidade de São Paulo, o grande vale entre o rio Pinheiros e os Jardins e os espigões na Paulista. Dois pra lá, dois pra cá. Foi assim até o final. Acabou, ela agradeceu, eu agradeci, cada um foi para o seu canto, a sensação de missão cumprida, e nunca mais nos vimos.

Na volta para casa, minha mãe fez um inquérito. Se dancei com a dona da festa, se agradeci o convite, se me apresentei e me despedi dos donos da casa. Sim, mamãe. Fui fofo. Você se orgulharia de mim. Na época, eu era tão fofo que apareço em fotos amareladas nas festas de família dançando valsas com as minhas tias. Que sobrinho...

Um dia fiz uma descoberta incrível: nunca dancei com a minha mãe. Nunca a abracei de verdade. Nunca rolei com ela fazendo cócegas. Nunca gargalhamos juntos. Nossa relação era como as regras que me ensinava, protocolar. Talvez ela tivesse lido num manual como se relacionar com filhos. Um manual de etiqueta, com um capítulo sobre como abrir as portas, cruzar talheres, tirar a dona da festa para dançar. Até nossas conversas eram secas, diretas, objetivas. Nunca pude lhe pedir conselhos sobre garotas, numa adolescência que chegava sem escalas.

Minha turma passou a ser convidada para muitas festinhas iguais em casas enormes da Cidade Jardim, Morumbi, Alto de Pinheiros, Jardins, de banqueiros, varejistas, industriais, donos de empresas, herdeiros de empresas, capitalistas que combatíamos nas aulas da radical professora e de outro professor marxista, Benauro, este preso num dia de aula, levado ao DOI-Codi e torturado, que nos doutrinava com textos xerocados de Marx e Engels sobre mais-valia. Ao todo, três professores do colégio foram presos naquele ano de 1975, o da grande caçada ao PCB, que deu na morte de Herzog. Vimos dos janelões da escola dois deles serem levados por agentes à paisana. E de nada adiantava serem professores dos filhos do governador do estado (Paulo Egydio Martins) e do prefeito da cidade (Olavo Setúbal), meus colegas.

Minha turma passou a ser convidada porque éramos meninos, garotos, gentis e educados, apesar do determinismo histórico e de estarmos mesmo preocupados com a exploração do homem pelo homem. Se déssemos sorte, éramos beijados por garotas sem preocupações com a luta de classes. Quem se interessasse, podia nos beijar. Nos beijaram garotas ricas, milionárias, com bafinho doce, com aparelho nos dentes, que sabiam beijar, que não sabiam beijar, que tinham pressa, que tinham a boca tensa. Nos levavam para um canto ou quarto escondido, geralmente o escritório do pai burguês, que seria fuzilado no socialismo, nos sentavam no sofá e nos beijavam. Garotas nessa idade eram muito autoritárias, intensas, safadas, curiosas. Não podíamos contestá-las. Volúveis, nos beijavam numa festa, mas, na seguinte, beijavam rapazes de outra escola. Beijamos garotas cuja fortuna daria para pagar a dívida de muitos países. E, apesar de tantas mulheres na minha casa, ninguém me ensinou como lidar com as garotas. Aprendi na marra.

Não tive muitos problemas com a polícia, comparado com amigos meus mais azarados (ou que aprontavam mais, ou que estavam com a droga errada, na quantidade errada, caminhando na hora errada ou de carro na estrada errada).

Em 1976, eu dirigia sem carteira pelo Rio de Janeiro uma moto trail 125 CC, emprestada do amigo Edu, quando um PM me parou na Bartolomeu Mitre, me levou para a delegacia da Humberto de Campos, 315, a 44ª DP, e me deixou mofar por uma tarde, arbitrariedade comum, até me permitir telefonar para alguém. Eu não tinha andado mais que cinco quadras (ia ao Bob's). Liguei para o melhor amigo do meu pai, Fernando Gasparian, pai do Edu, que apareceu de terno e gravata, esbaforido. Conversou algo no pé de orelha com o policial responsável. Fui liberado. Não entendi o que se passou. A moto ficaria mofando no pátio? Que nada. O mesmo PM que me deteve me deu a chave e virou as costas. Era para eu dar a partida e ir embora, o que demorei para entender. Mas, sim, senhor, obedeci. Fui embora dirigindo a mesma moto. Não iria desacatá-lo. Comprei um lanche no Bob's para o Edu. E nunca contei para a minha mãe a-de-vo-ga-da.

Aos dezoito anos, eu fazia uma viagem longa de busão e trem pela Argentina com um amigo. Acabou o dinheiro. Não tínhamos para a volta. Liguei para a minha mãe, ela deu um jeito. No dia seguinte, tinha uma grana numa loja de câmbio. Ela não me deu uma dura, não me perguntou como pude gastar todo o dinheiro, fazer uma viagem mal planejada. Acabou o dinheiro porque acabou o dinheiro, aprendi a lição e pronto. Minha relação com ela era de uma objetividade abismal. Uma relação ideal, para quem vivia num imbróglio jurídico sem parâmetros e não tinha tempo para uma futilidade chamada afeto. A menos italiana de todas deixava o filho fumar maconha dentro de casa; não na frente dela. E, sempre que eu fumava no quarto e ela chegava, reclamava do cheiro insuportável do incenso patchuli, que minhas irmãs hippies adoravam. Uma vez, não estava fumando e acendi um patchuli. Ela entrou e reclamou do cheiro de maconha que dava para sentir da rua. Não gostou muito de eu me mandar para Campinas para fazer Unicamp, mas não deixou de me financiar (pensão + passe de ônibus + comida do bandejão + cigarros). Roupa, eu tinha herdado do meu pai.

Carnaval de 1978. Fiz uma viagem improvisada com amigos e amigas do antigo colégio. Pegamos um ônibus em São Paulo até Eunápolis, Bahia; dois dias de viagem. Depois, um coletivo até Porto Seguro. Atravessamos então um rio com uma balsa e fomos a pé, pela areia, umas três horas de caminhada, até uma vila que não tinha estrada, luz ou água encanada, Arraial d'Ajuda. Sonhávamos em passar o Carnaval na Bahia para curar tanto niilismo e desânimo, fruto do vazio existencial. Mas, naquela vila, que compreendia uma quadra e casinhas de pau a pique ao redor de um gramado, uma igreja, naquele fim de mundo, não tinha Carnaval. Tinha umas bandeirolas penduradas do último São João.

Dormimos na praia em Arraial, perto da bica d'água. No dia seguinte, subimos a ladeira de terra, interagimos, compramos comida. Foi quando as garotas locais passaram a se interessar por nós, garotos de fora. Esquentamos o contato até a noite, para a hora do forró. Numa cabana, tocava forró ao vivo. Nada de vitrola. Havia outros estudantes e estrangeiros. A minha menina já tinha me escolhido, e eu, correspondido. A minha menina era uma das mais lindas que já vi. Era morena do sol, cabelos lisos, assanhada, de minissaia, cheirosa, vibrante. Ela dançava girando, me pegando, me acariciando o pescoço, sorrindo. Tinha tanto tesão nela, tanta malícia, que eu não sabia se conseguiria um dia largá-la, voltar para a estrada, a luz elétrica, a minha vida. Ela esbarrava de propósito as coxas nas minhas, encostava até o limite do permitido e do possível seu ventre no meu, passava a mão em mim. Ou era a menina mais encantada e apaixonada da terra, ou eu nunca tinha tido contato com a sedução em estado puro. E a pinga descia, descia, descia. Passamos a noite agarrados nos beijando debaixo de uma árvore. Me deu uma tontura demoníaca. Nunca tinha bebido tanto na vida.

No dia seguinte, acordei sozinho de ressaca no gramado. Encontrei meus amigos, que levantavam acampamento para marchar até Trancoso, para onde se ia a pé, pela praia, muito tempo caminhando, também sem luz elétrica, nada. Três decidiram ficar em Arraial. Eu fui um deles. Nos deixaram uma barraca.

Encontrei a minha menina à tarde na praia. Almocei na casa de alguém. À noite, mais forró, mais pinga. Ela me falou algo que eu não esperava:

— Com você estou descobrindo uma coisa que não conhecia, o sexo.

Eu não disse que comigo ocorria o mesmo. Me coloquei no altar de um homem muito experiente, um homem da cidade, onde as coisas de fato acontecem, e que tem muito a ensinar, a desbravar: um bandeirante! Foi na segunda noite que transamos em silêncio, em segredo. Ela não era virgem. Então como estava conhecendo o sexo comigo? Talvez quisesse dizer que comigo conhecia o tesão. Ou, pior, que comigo foi consentido. Ou que eu era a sua escolha, que ela enfim tinha feito sexo com alguém que ela queria. O amor de Carnaval foi verdadeiro. O tesão, nem se fala. Tinha muito mais carinho do que sexo em si. Éramos dois adolescentes em terras inóspitas, as primeiras avistadas pelos europeus em 1500. Um europeu e uma nativa. Uma pataxó!

No ônibus de volta a Eunápolis, senti uma ardência na uretra. No banheiro da rodoviária, vi pus saindo dela: DST! Não era possível! Corri para uma farmácia lotada de surfistas, mochileiros e hippies, a única farmácia decente em quilômetros. Por sorte, um farmacêutico me atendeu com cuidado e privacidade. Me deu um antibiótico. Você vai urinar vermelho nos primeiros dias. Procure um médico depois.

De volta em São Paulo, comentei com a minha mãe que precisava de um médico. Pegara uma doença na Bahia de algum banheiro de estrada, alguma privada. Ela me levou ao seu clínico. Falei o mesmo, diante da minha mãe, que peguei algo na Bahia, de algum banheiro de estrada, alguma privada. Ele me levou a uma salinha anexa e me examinou. Eu estava curado pelo antibiótico de Eunápolis. Mandou que eu tomasse cuidado da próxima vez e me ensinou a colocar uma camisinha. Minha mãe pagou a consulta e não fez perguntas. Não sei se acreditou. Nem me mandou tomar cuidado da próxima vez. Nunca me mandou nada. Respeitava a minha privacidade como poucas mães respeitavam. O que não sei se é um elogio. Nunca mencionou um contraceptivo chamado camisinha. Quando minha irmã Babiu ficou menstruada, foi minha irmã Eliana quem a levou ao ginecologista.

Aprendi quase tudo sozinho. Fui para a Unicamp. Virei um duro feliz, que morava em repúblicas mistas sem TV, telefone ou carro. Morava em edículas, em quartos pequenos e úmidos, em casas com rato, problemas na fiação, encanamento, telhado. Andava de carona, a pé. Livros eram o maior luxo. Os que não encontrava na estante da minha mãe, eu comprava em sebos. Jornais, eu lia os de um centro acadêmico. E nunca senti falta de conforto.

Uma vez apenas dinheiro fez falta, no comecinho de 1979. Eu ia para o terceiro ano da Unicamp. Minha namorada de dezoito anos engravidou. Eu morava em Campinas, e ela, em São Paulo. Eu tinha dezenove anos, vivia da mesada apertada da mãe, dava aulas particulares de física e matemática, trabalhava nas férias para um tio, numa empresa de exportação e contêineres, tocava em barzinhos e shows universitários, e não tinha nenhum bem, nada de posses, nada de nada.

O elemento Marcelo Paiva, universitário, morador de uma república estudantil em Campinas, na rua Carolina Florença, afirma ser namorado da ex-colega de escola, não presente ao plantão, moradora da Cidade Jardim, São Paulo, capital. Por paixão, afirma o declarante, ela engravidou. Bobearam, contou. Num fim de semana na praia, na casa de amigos, a lua estava demais, a paixão era demais, tesão transbordando, rolou, escapou, afirma o declarante supraqualificado. A família dela é muito conservadora. Ele pesquisou, queria o melhor para a namorada, descobriu que havia tipos diferentes de aborto, queria o mais seguro, caríssimo, o de sucção, ele não teria dinheiro para pagar, mas tranquilizava a namorada. Corria contra o tempo. Pediu para a pessoa mais improvável, mas que ele sabia que era com quem mais podia contar. Pediu para a sua mãe, Eunice Paiva, moradora do Jardim Paulista, São Paulo, capital; explicou o propósito do empréstimo. Ela nem pensou duas vezes. Não deu lição de moral, uma dura, não reagiu emocionalmente, usou a razão, como sempre. Desta vez, afirma o declarante, gostou de ver que a mãe, apesar de origem italiana, raciocinou como o filósofo grego de nome Aristóteles. Deu o dinheiro, apoio, e ainda exigiu o melhor. Avisaram a família da namorada que iam viajar. Foram à clínica no

Itaim, indicada pelo ginecologista da mãe. O garoto ficou apavorado quando a namorada entrou com a enfermeira. Esperou horas num sofá. Levou-a para a casa da mãe dele. O meliante não dormiu, preocupado, segurando a mãozinha dela. A moça passa bem, apesar do trauma. A mãe nunca mais tocou no assunto. O flagrante não foi realizado.

Minha mãe era assim: não me deu uma dura por engravidar a namorada, me deu uma força para resolver o problema. Minha mãe não era minha amiga. Não saíamos juntos. Não bebíamos ou fumávamos juntos. Eu não falava para ela do que vi e vivi. Era minha mãe. E, na urgência... Não sei se tratava as minhas irmãs com o mesmo padrão moral. Acho que não. Minha mãe era machista. Topava as maluquices e irresponsabilidades do filho homem. Não as das meninas.

No fim de 1979, sofri um acidente. Quando acordei na UTI, eu estava paralisado do pescoço para baixo. Ela ficou do meu lado.

Mas aí é outro livro.

Parte 2

Merda de ditadura

O golpe de 64 começou mesmo em 25 de agosto de 1961, quando Jânio renunciou de surpresa. Os militares e a direita sentiram que se abria a oportunidade perdida antes, abortada com o suicídio de Getúlio. Meus pais estavam em Moscou. Era uma época em que muitos iam à União Soviética conhecer a "tecnologia de ponta" e as propagadas maravilhas do mundo socialista. O que mais chamou a atenção da minha mãe era que em cada andar do hotel havia uma gerente mulher, que mandava, e ninguém aceitava gorjeta, vício capitalista. No hotel, viram na TV que falavam do Brasil, viram fotos de Jânio, mas não entenderam nada. Acontecera algo sério. Meu pai pegou um táxi e foi encontrar estudantes brasileiros, que lhe traduziram as notícias surpreendentes.

Na volta, gastou toda a poupança da família, que morava de aluguel, investindo na sua campanha a deputado federal de 1962. Não fazia oito anos que ele tinha saído da faculdade. Vendeu o único terreno que tínhamos, no Jardim América, em São Paulo, numa esquina da rua Groenlândia. Aos trinta e três anos, com cinco filhos pequenos (a menor com dois aninhos) e uma empresa polivalente de engenharia, decidiu arriscar. Idealista, ex-

-líder estudantil, achou que podia contribuir para mudar o Brasil. Nunca foi perdoado pela minha mãe. Foi eleito e cassado em 1964. Quando morreu, em 1971, por causa da política, vivíamos ainda numa casa alugada.

Em 1964, meu pai era deputado federal do PTB. Tinha um apê em Brasília. Grande chance de nos mudarmos para lá. Era um apê funcional, amarelo, baixo e comprido, com uma área aberta de lazer que lembrava uma praça. Cidade espaçosa, arejada, desértica, com esculturas incríveis no meio do nada. Seria divertido nos mudarmos para lá. Seria diferente. Brasília era um descampado. Se não fosse o golpe, será que eu me criaria em Brasília? O que seria de nós sem o golpe? O que seria do Brasil? Seria possível o Brasil resistir à tendência dos anos 60-70, quando países do continente se transformaram em ditaduras de direita, peças do jogo de dominó da Guerra Fria?

Todo mundo que era contra a ditadura era comunista. Todos se tornaram suspeitos, subversivos em potencial. O comunista estava na fronteira, atrás da porta, na sombra, na igreja, na escola, no cinema, no teatro, na música, no Exército, o comunista vendia pipoca, estava disfarçado em balés, óperas, podia ser seu vizinho, podia estar debaixo da sua cama, poluir o reservatório de água, dopar os bebedouros. Os comunistas tomariam o poder. Até os não comunistas eram comunistas disfarçados, foram doutrinados, sofreram lavagem cerebral. Muitos que, em 1964, conspiraram com os militares, na missão de impedir que comunistas tomassem o poder e o Brasil se transformasse numa diabólica ditadura do proletariado, perceberam a manobra e foram acusados pelos anticomunistas de ligações com comunistas.

Muita reza era necessária para impedi-los de se aproximar de nossas famílias e de nossos bens. Jesus era anticomunista. Deus era anticomunista. Jesus, Deus, o Espírito Santo, José e Maria, Nossa Senhora de Aparecida, o papa, todos os papas foram anticomunistas e nos salvariam. A ditadura foi um golpe civil com ajuda militar para tirar um grupo político do poder, o golpe dos governadores do Rio, de São Paulo e Minas. O primeiro ato da ditadura, o Ato Institucional n. 1 (AI-1), foi baixado pela Junta Militar em 9 de abril de 1964. Cassaram os líderes trabalhistas João Goulart, Leonel Brizola, Darcy Ribeiro, parte da bancada do PTB, como Almino Afonso e o meu pai, o ex-presidente Jânio Quadros, o governador Miguel Arraes, o deputado católico Plínio de Arruda Sampaio, o economista Celso Furtado, o jornalista Samuel Wainer e até o presidente da Petrobras, marechal Osvino Alves. Nenhum deles era comunista.

A intenção do golpe de 64 era impedir o avanço comunista no Brasil e restaurar a democracia em dois anos. Não demorou muito, o ex-presidente Juscelino Kubitschek, candidato favorito à reeleição, foi cassado, acusado de corrupção e de colaborar com comunistas. No primeiro teste eleitoral, em 1965, não foram eleitos os candidatos dos militares em Minas Gerais e Guanabara. Baixaram o AI-2. Partidos políticos foram extintos. O Poder Judiciário sofreu intervenção. Reabriram processos de cassação. Carlos Lacerda, governador do Rio, então aliado, foi surpreendentemente cassado. Logo ele, quem mais discursou a favor do golpe. O golpe dos governadores se tornou um golpe apenas dos militares.

O novo partido da situação, Arena, não engrenava. Seria derrotado nos estados mais populosos. A paciência dos militares se esgotou: o AI-3 foi baixado, determinando que a eleição de governadores seria indireta, executada por colégios eleitorais, e que os prefeitos das capitais, estâncias e cidades de segurança nacional seriam nomeados. O AI-4, do mesmo ano, revogou definitivamente a Constituição de 1946 e proclamou outra. O golpe não tinha projeto. Tinha ocasiões.

Brasília, 13 de dezembro de 1968: 147º ano da Independência e octogésimo da República. É baixado o ato institucional nº 5, assinado pelo presidente general Costa e Silva e todo o seu ministério, inclusive juristas, numa reunião solene. Na mesma noite, anunciaram para um país atônito, em cadeia de rádio e televisão: o AI-5 suspendia as garantias constitucionais promulgadas no AI-4. É uma obra-prima da contradição. Usa a ameaça à democracia como argumento para endurecer o regime, uma aberração jurídica, incongruência em que todo regime autoritário se baseia (para defender a liberdade, precisamos acabar com ela).

Está no texto: para os militares, a "Revolução Brasileira de 31 de março de 1964", como chamavam o golpe, visava dar ao país um regime que "assegurasse autêntica ordem democrática, baseada na liberdade, no respeito à dignidade da pessoa humana, no combate à subversão e às ideologias contrárias às tradições de nosso povo, na luta contra a corrupção".

Atos "nitidamente subversivos, oriundos dos mais distintos setores políticos e culturais" estavam servindo de meios para combatê-la e destruí-la (a democracia):

> Se torna imperiosa a adoção de medidas que impeçam os ideais superiores da Revolução, preservando a ordem, a segurança, a tranquilidade, o desenvolvimento econômico e cultural e a harmonia política e social do país comprometidos por processos subversivos e de guerra revolucionária.

O ato institucional determinava a

suspensão dos direitos políticos; suspensão do direito de
votar e de ser votado nas eleições sindicais; proibição
de atividades ou manifestação sobre assunto de natureza
política; aplicação, quando necessária, das seguintes medidas de segurança: liberdade vigiada; proibição de frequentar determinados lugares; domicílio determinado.

O presidente da República poderia, mediante decreto, demitir, remover, aposentar empregados de autar-
quias, empresas públicas ou sociedades de economia
mista, demitir, transferir para a reserva ou reformar militares ou membros das polícias militares. Poderia decretar
o estado de sítio e prorrogá-lo, fixando o respectivo prazo. Ficava suspensa a garantia de habeas corpus nos casos
de crimes políticos contra a segurança nacional, a ordem
econômica e social e a economia popular.

O golpe sofreu um golpe. A ditadura se impôs so-
bre a ditadura. Ela encontrou o seu projeto e se firmou.
Elio Gaspari a dividiu em quatro fases: Envergonhada, Es-
cancarada, Derrotada e Encurralada. O AI-5 a escancarou.
Não existe uma só ditadura, não existe um só golpe de 64.
Nem se sabe a data correta: 31 de março ou 1º de abril?

Nos tempos da ditadura, não se discutiam os
grandes investimentos. Militares construíram uma usina
nuclear com tecnologia obsoleta, numa região de difícil
evacuação, e duas estradas paralelas ao rio Amazonas, a
Transamazônica e a Perimetral Norte, e que foram tomadas pela floresta anos depois, devastando nações indígenas, estatizaram companhias telefônicas e de energia. Co-
laboraram para o desmantelamento da malha ferroviária
brasileira. Editores de livros, como Ênio Silveira e Caio

Prado, foram presos. Jornalistas, como toda a redação do *Pasquim*, entre eles o fanfarrão Paulo Francis, foram presos. Até escritores no início simpáticos ao golpe, como Nelson Rodrigues e Rubem Fonseca, foram censurados. Caetano Veloso e Gilberto Gil foram presos, tiveram os cabelos raspados e foram expulsos do Brasil. Raul Seixas foi convidado a se retirar, depois de gozar o regime com "Eu sou a mosca que pousou em sua sopa". Chico Buarque se exilou. Teatros foram depredados; atores, espancados. Parte da classe teatral, como Zé Celso e Augusto Boal, foi embora. Glauber Rocha também se mandou.

O contrabando e o jogo do bicho se associaram a agentes da repressão e se fortaleceram. O crime organizado nasceu. A promiscuidade entre polícia e bandido, tema do filme *Lúcio Flávio, o passageiro da agonia*, consolidou-se. O Comando Vermelho surgiu num presídio da ditadura. Em 15 de março de 1985, ao terminar, ela deixou uma inflação que virou hiper (a acumulada de 1984 foi de 223,90%), uma moeda desvalorizada (um dólar valia 4160 cruzeiros) e uma dívida externa que nos levou à moratória (o FMI suspendeu em fevereiro de 1985 o crédito ao Brasil, que não cumprira as metas depois de sete tentativas). Outra herança: o desmantelamento do ensino público.

O Brasil talvez tenha sido vítima de uma das maiores farsas da história: nunca correu o risco de virar comunista. Muitos apontam o golpe como resultado da instabilidade institucional e desordem provocadas pelo próprio governo João Goulart. O Brasil vivia um conflito ideologicamente polarizado. Greves como a dos marinheiros, sublevação de tropas, comícios com bandeiras do PCB e palavras de ordem radicais assustaram parte da sociedade. A conspiração se generalizou e atravessou fronteiras. Mas o único que respeitou as regras estabelecidas foi justamente ele, o desordeiro Jango, latifundiário acusado de ligações com comunistas. Ele pode ser acusado de frouxo por uns, inábil por outros. Não resistir e fugir do Brasil no dia 2 de abril decepcionou aliados. Incendiar com palavras e gestos um ambiente já volátil atiçou a conspiração. Mas, do começo ao fim, ele cumpriu a lei.

Na prisão, dez anos depois da viagem a Moscou, minha mãe teve que explicar várias vezes o que ela e o marido faziam ali e por que meu pai se encontrou com estudantes.

Você conhece a história. Jango, vice-presidente, estava na China. Os ministros da Marinha, Exército e Aeronáutica ameaçaram derrubar o avião, caso voltasse. Tentou-se a conciliação: mudar o regime político brasileiro. Em setembro de 1961, o Brasil virou parlamentarista. Tancredo Neves, o primeiro-ministro. Em 1962, eleições renovaram o Congresso. Meu pai foi eleito deputado. Convocou-se um plebiscito para definir se o país voltaria ao regime anterior. O presidencialismo ganhou de lavada. Jango tomou o poder de fato e direito. Tinha dois anos para governar. A eleição seguinte à presidência, de 1965, estava garantida e seria uma barbada: como já disse aqui, Juscelino, popular, ganharia com folga.

Foi lançado o Plano Trienal: reformas institucionais para controlar o déficit público, manter a política desenvolvimentista, instaurar a reforma fiscal para aumentar a arrecadação do Estado e limitar a remessa de lucros para o exterior, reforma bancária para ampliar acesso ao crédito de produtores, nacionalização de setores de energia elétrica, refino de petróleo e químico-farmacêutico, direito de voto para analfabetos e militares de patentes subalternas, desapropriação das áreas rurais inexploradas nas margens das rodovias e ferrovias federais, reforma educacional para combater o analfabetismo com o método Paulo Freire, abolição da cátedra vitalícia.

Uma pesquisa feita na época pelo Ibope (e encontrada recentemente) mostra que 59% dos entrevistados eram a favor das medidas e 49,8% admitiram que votariam em Jango se ele pudesse se candidatar à reeleição.

Jango se aproximou dos empresários, para dar uma acalmada no mercado. Nomeou Carvalho Pinto ministro da Fazenda. Sargentos se revoltaram contra a lei que os tornava inelegíveis. Jango não os puniu. Um mês depois, ameaçou decretar estado de sítio. Para a direita, era um golpe que ele preparava. Desistiu. A polarização empacava as reformas. Em 25 de março, marinheiros e fuzileiros se rebelaram. O presidente os apoiou; o fim de seu governo estava selado.

O embaixador norte-americano Lincoln Gordon recomendou remessa clandestina de armas e petróleo e sugeriu que o governo americano preparasse uma intervenção. O presidente Lyndon Johnson autorizou o envio de uma frota ao Brasil. A missão: invadir Pernambuco se houvesse resistência. Golpistas receberam o sinal verde da Casa Branca.

20 de março de 1964. O general Castelo Branco, com prestígio na tropa, informou a oficiais do Exército que aderia ao golpe iminente. Foi a senha de que os conspiradores precisavam.

31 de março. O general Olímpio Mourão Filho iniciou a movimentação de tropas em Minas Gerais, incentivado pelo governador Magalhães Pinto.

1º de abril. Jango foi a Brasília e, depois, para o Rio Grande do Sul.

2 de abril. Numa manobra da mesa do Congresso, declarou-se a vacância do cargo, apesar de o presidente

estar ainda em Porto Alegre, não exilado. Brasília foi cercada pelo Exército. Uma junta tomou o poder: o general Costa e Silva, o tenente-brigadeiro Correia de Melo e o vice-almirante Rademaker Grünewald. Em dois dias, sem derramar uma gota de sangue, um golpe derrubou um governo popular, respaldado pela Constituição.

Meu pai, jovem deputado, montou a Rede da Legalidade. Na Rádio Nacional, gravou o discurso, convidando outras rádios a aderirem ao movimento. Mas as organizações dos trabalhadores marcaram uma greve geral contra o golpe. Não se marca uma greve num golpe. É preciso ter a infraestrutura da resistência, especialmente transporte coletivo. Ele disse na gravação, encontrada em 2014 nos arquivos da Rádio Nacional (há quarenta e três anos nós não ouvíamos a sua voz):

> Me dirijo especialmente a todos os trabalhadores, todos os estudantes e a todo o povo de São Paulo tão infelicitado por este governo fascista e golpista que neste momento vem traindo seu mandato e se pondo ao lado das forças da reação. Estejam atentos às palavras de ordem que emanarem aqui da Rádio Nacional e de todas as outras rádios que estejam integradas nesta cadeia da legalidade. Julgamos indispensável que todo o povo se mobilize tranquila e ordeiramente em defesa da legalidade, prestigiando a ação reformista do presidente João Goulart, que neste momento está com o seu governo empenhado em atender todas as legítimas reivindicações de nosso povo. Está lançado inteiramente para todo o país o desafio: de um lado, a maioria do povo brasileiro desejando as reformas e desejando que a riqueza se distribua; os outros são os golpistas, que devem ser repelidos, e, desta vez, definitivamente, para que o nosso país veja realmente o momento da sua libertação raiar.

Minha mãe acompanhava de São Paulo os acontecimentos. No dia 2, surgiram boatos de que haveria prisões. Ela logo pensou no marido. Brasília estava ainda sob uma ilusória e temporária vida democrática. Instituições funcionavam. Reuniões pela cidade buscavam o que fazer. Ninguém acreditava no golpe, que pairava havia dois anos, mas que agora se tornava um fato. Era celebrado pela grande imprensa e por muitos civis. Era apoiado pela Igreja. Basta! Chega de baderna comunista! As centrais sindicais não reagiram. Os estudantes sumiram. A UNE foi incendiada.

Minha mãe conseguiu falar com o meu pai pelo telefone, e ele a tranquilizou. Morávamos na alameda Tietê, num sobrado de classe média. Ela, teimosa, não pensou duas vezes, chamou a minha avó Olga, nossa babá-chefe, e foi para o aeroporto. Lá, uma confusão. Voos eram cancelados. O aeroporto estava cercado. Gente querendo embarcar às pressas. Ela conseguiu uma passagem para o dia seguinte. Dormiu com centenas de passageiros amedrontados numa ala sem luz. Dormiu vendo as sombras de militares nas paredes. Embarcou sem comer, num dos poucos voos comerciais que partiram para Brasília.

Chegou numa capital estranhamente calma. Calma demais. Nada de tropas à vista. Nada de tanques, como em São Paulo, em Minas e no Rio; nada de jipes do Exército arrastando presos, como no Recife. Ela pegou um táxi e foi até o nosso apartamento funcional, onde nunca moramos nem moraríamos. Pelo telefone, encontrou meu pai no Congresso, ele estava afobado, num corre-corre. Foi rapidamente vê-la. Disse que estava tudo sob controle. Mas não estava, estava na cara que não. Quando foram dormir, ele lhe deu um revólver que ela nem sabia que ele tinha, explicou rapidamente seu funcionamento e pediu que não se desgrudasse dele. Foi a primeira vez que minha mãe segurou uma arma. Passou a noite com o dedo no gatilho. Dormiu com ele no colo. Dormiram cada um com um revólver, numa capital em suspense, atordoada, sem comando, sem governo, cercada. Uma vez perguntei se ela teria tido coragem de usá-lo.

— Claro — respondeu. — Se alguém entrasse por aquela porta, eu atirava.

Meu pai conhecia Brasília. O Plano Piloto estava entalhado na palma da sua mão. Como jovem engenheiro, foi um dos seus construtores. Montou uma lona de circo para abrigar a peãozada e construiu pontes e viadutos, sua especialidade. Quantas vezes não passei debaixo de pontes dos acessos ao Eixo Monumental e imaginei se ali não estava uma obra do meu pai. Existe uma foto dele, anônimo, com JK e trabalhadores. Está sujo dos pés à cabeça, com um chapéu de palha e um sorriso que demonstrava o orgulho de fazer parte daquela grande empreitada.

Como piloto de avião, conhecia também as rotas de fuga, os campos de pouso improvisados, e tinha contatos com o PCB, que, historicamente, era quem mais sabia tirar gente clandestina do Brasil, pela terra, pelo mar ou pelo ar.

Enquanto o golpe se consolidava, rolavam reuniões nas casas da cúpula do governo Jango. Decidiam quem deveria fugir, com qual urgência e como. Notícias de que haveria prisões saíam já na imprensa, que festejava o golpe. Com o teco-teco de um amigo, meu pai tirou de Brasília Darcy Passos e Waldir Pires, do primeiro escalão do governo. Levaram a faixa presidencial de birra. Quando o general Castelo Branco tomou posse, tiveram que confeccionar outra.

Minha mãe voltou para São Paulo. A reação popular não veio. Ele esperou os acontecimentos. Veio o pior, o ato institucional que o cassou. Foi um corre-corre. Muitos se exilaram em embaixadas recém-inauguradas na cidade. Mas ele decidiu fugir de Brasília. Não sei onde, mas sei que um pequeno avião foi buscá-lo numa pista de pouso antiga, dos antigos construtores da cidade. Ele foi no Fusca dirigido por um aliado, que ficou na estrada vicinal ao aeroporto. O aviãozinho pousou, mas não parou, taxiou de motor ligado e com a porta aberta até a cerca, de onde meu pai apareceu, pulou, correu e entrou. O avião decolou. Mas a torre de controle viu tudo, mandou voltarem, caso contrário abateriam a aeronave. Ele quis continuar. O piloto implorou para voltarem. O golpe estava mais organizado do que antes. Caças sobrevoavam Brasília, tanques a cercavam. Havia baterias antiaéreas nas redondezas. Partiram para o plano B. Deram a volta, pousaram, mas de novo o piloto taxiou até a cabeceira, abriu a porta, e meu pai correu em zigue-zague para a cerca até o mesmo Fusca, que o esperava de motor ligado. Soldados foram na sua direção, ele corria, eles atiraram, balas passaram rente, ele se agachou e rastejou até o carro, aceleraram, fugiram, entraram no setor das embaixadas, ele correu de novo e pulou o muro da embaixada da Iugoslávia, onde já estava parte dos seus amigos cassados. Embaixada escolhida por ele, numa reunião preliminar, pois tinha piscina, era novinha em folha, recém-inaugurada pelo próprio presidente Tito, que, apesar de liderar um país comunista, angariou simpatias por aqui por não ser alinhado ao stalinismo, ser independente da URSS, ser o queridinho do Ocidente.

Eu sempre pedia para o meu pai contar e recontar essa história para meus amigos. Era incrível imaginar um cara meio gordo, sempre de sapato, terno e gravata, com abotoaduras, meio sedentário, num momento cinematográfico, heroico. Ele recontava obedecendo à mesma linha narrativa. Mas dizia que atiravam para o alto, que eram revólveres fajutos, que não queriam matá-lo de verdade. Pode ser. O golpe foi desferido sem vítimas fatais. O fato é que eu tinha orgulho dele. Não tinha o perfil dos meus heróis da TV ou dos gibis, mas teve o seu momento de fugir sob balas. Poucos tinham um pai assim.

Da embaixada, ele nos escreveu uma carta emocionada, que guardo até hoje, na minha pasta de documentos importantes. Nos chamava pelos apelidos que ele nos deu. E procurava explicar a conjuntura política para os filhos de três (Babiu) a nove anos (Veroca). Claro, no tom de desabafo. A carta vinha com uma ironia: o brasão da Câmara dos Deputados no papel timbrado.

> Verinha, Cuchimbas, Lambancinha, Cacazão e Babiu.
> Recebi suas cartinhas, desenhos etc., fiquei muito satisfeito de ver que os nenês não esqueceram o velho pai. Aqui estou fazendo bastante ginástica, fumando meus charutos e lendo meus jornais. É possível que o velho pai vá fazer uma viagenzinha para descansar e trabalhar um pouco. Vocês sabem que o velho pai não é mais deputado? E sabem por quê? É que no nosso país existe uma porção de gente muito rica que finge que não sabe que existe muita gente pobre, que não pode levar as crianças na escola, que não tem dinheiro para comer direito e às vezes quer trabalhar e não tem emprego. O papai sabia disso tudo e quando foi ser deputado começou a trabalhar para reformar o nosso país e melhorar a vida dessa gente pobre. Aí veio uma porção daqueles muito ricos, que tinham medo que os outros pudessem melhorar de vida e começaram a dizer uma porção

de mentiras. Disseram que nós queríamos roubar o que eles tinham: é mentira! Disseram que nós somos comunistas que queremos vender o Brasil: é mentira! Eles disseram tanta mentira que teve gente que acreditou. Eles se juntaram — o nome deles é gorila — e fizeram essa confusão toda, prenderam muita gente, tiraram o papai e os amigos dele da Câmara e do governo e agora querem dividir tudo o que o nosso país tem de bom entre eles que já são muito ricos. Mas a maioria é de gente pobre, que não quer saber dos gorilas, e mais tarde vai mandar eles embora, e a gente volta para fazer um Brasil muito bonito e para todo mundo viver bem. Vocês vão ver que o papai tinha razão e vão ficar satisfeitos do que ele fez.

O velho pai tinha trinta e cinco anos. Queria se justificar para os filhos que, na escola, nas ruas, podiam ouvir que o pai era um comunista. Revelava um otimismo peculiar: todos ali imaginavam que o golpe não duraria muito. Pela lógica e roteiro escrito pelos próprios golpistas, eles devolveriam o poder aos civis em 1966, numa eleição ganha por um JK ainda não cassado. Meu pai não imaginava que duraria vinte e um anos. E que só vinte e seis anos depois teríamos uma eleição direta para presidente. Que o terror seria uma rotina e prática do Estado a partir de 1968, com o AI-5. E que ele estaria sob tortura seis anos e meio depois. Morrendo. E que seu corpo desapareceria.

Minha mãe fez as malas, dessa vez com toda a família. Nos hospedamos no apartamento funcional do deputado cassado. Ele estava exilado na embaixada, e nossa família, em Brasília, com direito a passeios turísticos.

Nas primeiras noites, os novos hóspedes, exilados, dormiram no chão da embaixada inaugurada havia meses e ainda não decorada. Depois arrumaram camas de acampamento e se cotizaram para comida e sabonetes. Ficaram meses assim. Os familiares e amigos podiam entrar e sair pelos portões livremente. Os exilados, nem pensar.

Brasília era um descampado, ensolarada e fria, estranhamente fria. Era um cerrado com clima de deserto, uma cidade de concreto escultural num planalto. Minha mãe pegou uma procuração do meu pai e passou a ser, pela primeira vez, mãe-pai, o que se repetiria ao longo da vida. Nos levava a passeios turísticos, à praça dos Três Poderes, à catedral, tirávamos fotos, ela cuidava de duas casas, a de São Paulo e a da capital, íamos para a embaixada, um prédio interessante, bonito, de concreto aparente, moda na época, com uma fachada toda envidraçada voltada para o lago Paranoá, no Setor de Embaixadas com poucas embaixadas; a maioria ainda permanecia na antiga capital, Rio de Janeiro. Tinha um belo jardim, em que nós, crianças, brincávamos. Em maio fizeram minha festa de aniversário de cinco anos nela. Estou de estrela de xerife, com um chapéu e um revólver de espoleta no coldre. Apareço brincando com os filhos do Almino. Reconheço a Gláucia. Cara de índia. Meu pai está bem mais magro. Minha mãe faria trinta e cinco anos. A vida recomeçando. E que vida...

Só em junho, três meses depois, o governo deu salvo-conduto. Meu pai pôde enfim deixar o Brasil, partiu para o exílio: primeiro a Iugoslávia, depois Paris. Sem os passaportes brasileiros, que não foram entregues. Viraram todos cidadãos iugoslavos, com direito a passaporte iugoslavo, com o qual viajaram por todo o exílio.

Não sabíamos se iríamos também. Ninguém sabia se a ditadura duraria. Poucos levaram a família toda.

Alguns foram e deixaram a família, que depois se reuniu com eles na Argélia, na França, no Uruguai, no Chile. Meu pai não se decidia. Ficou meses na Iugoslávia e depois na França.

Ainda em 1964, pegou em Paris um voo para o Uruguai que fazia escala no Rio. Olhou a porta do 707 aberta no Galeão, a escada, chamou a aeromoça e disse que ia comprar charutos. Desceu do avião tranquilamente. Andou pela pista enquanto o avião era reabastecido. Foi andando por corredores de um aeroporto dos anos 60, sem os esquemas de segurança de hoje. Andou por lojas, circulou pelo desembarque, viu as portas abertas. Não perdeu a oportunidade. De repente, estava na calçada do aeroporto. Deixou sua bagagem para trás, pegou um táxi até o Santos Dumont. Pegou uma ponte aérea. Apareceu em São Paulo, na nossa casa da alameda Tietê de surpresa. Minha mãe quase teve um enfarto.

Ficamos ainda dois anos em São Paulo, antes de nos mudarmos para o Rio, para a casa alugada do Leblon.

É a peste, Augustin — Perdão, tenho que morrer

Morávamos numa casa de dois andares, na esquina da rua Delfim Moreira com a Almirante Pereira Guimarães, em frente à praia. Na época, uma transversal tranquila, com casas de classe média e sobrados, onde crianças brincavam e jogavam bola na rua. Num dia em que eu jogava com os novos amigos, minha mãe me viu e gritou da janela:

— Seu vigarista, venha terminar o dever!

Riram muito da palavra "vigarista". Acho que a maioria não sabia o significado. Nem eu. Pelo tom, sacamos que era algo que se diz a alguém que quebra uma promessa e deixa os outros irritados. Eles ficaram repetindo, "Vigarista!", "Vigarista, Vigarista!". O apelido pegou. Até nisso ela era sofisticada. Enquanto a maioria tinha apelidos simples, Teco, Neco, Caco, o meu vinha de uma palavra sofisticada, que enrolava na boca. Era a cara da minha mãe inspirar um apelido impronunciável. Com o tempo, virou Viga.

A casa do Rio era um entra e sai rotineiro de amigos: dos meus pais, que deixavam suas coisas e iam à praia; das minhas quatro irmãs; paqueras e apaixonados; amigos meus do time de rua, que jogavam entre os portões dos vizinhos e passaram a me chamar de Viga.

No dia 20 de janeiro, feriado da cidade, fazia bastante sol, ou, como dizem os cariocas, "deu praia". Meu pai tinha saído cedo para caminhar na orla com Raul Ryff, que também voltara do exílio e era nosso vizinho, confidente e correspondente de um jornal inglês. Andava preocupado. Sabia que seu nome tinha vazado, que a repressão sabia que ele e Gasparian ajudavam garotos procurados pela polícia. Um deles foi preso com um cheque da firma do Gaspa. Gaspa soube, avisou meu pai e se exilou com a família em Londres.

Não sei o que passava pela cabeça do meu pai. Ele sabia que o cerco apertava. Apesar de não estar envolvido diretamente com a luta armada, escondia gente, dava dinheiro, ajudava os mais desesperados, trocava informes, viajava e fazia contato com brasileiros no exílio, lideranças do governo deposto, denunciava tortura, prisões arbitrárias, censura, tinha amigos correspondentes estrangeiros, como muitos da esquerda brasileira, ou democratas, ou enjoados com o terror praticado pela ditadura, ou traídos por ela, que davam dinheiro, ajudavam os perseguidos, faziam contatos, denunciavam arbitrariedades de um regime de terror. Ele andava tenso, queria dar um tempo, se dedicar mais à família; dizia isso aos amigos. Estava na cara que deveríamos ter partido para o exílio. Todos se foram. Era a lógica para alguém visado. Partidos de esquerda se esfacelaram no começo do golpe. Até partidos de esquerda contra a luta armada estavam sendo esmagados pela ditadura depois do AI-5. A pergunta: por que ele atrasou tanto a nossa partida? Arrogância? Confiança? Dever ideológico?

Tinha comprado um terreno gigantesco de uma pedreira falida no sovaco do Cristo, no Jardim Botânico, um achado típico de engenheiro. Faria a nossa casa lá, finalmente uma casa com escritura, sua, da família. Passávamos horas na sua prancheta desenhando a casa, cada um com seu quarto, com seu banheiro, com varanda. Haveria um campo de futebol no gramado. Tinha espaço para tudo. O projeto estava só no papel. Visitávamos o terreno. Tinha uma jaqueira enorme no meio. Por meses, a única coisa que desfrutamos dele foi sua jaca.

Entrou como sócio numa firma de fundação. Se não podia atuar politicamente, como engenheiro estava trabalhando como nunca. Foi o engenheiro responsável de um bairro popular na Pavuna, ao lado do que hoje se chama Vila Rubens Paiva. Fazia as fundações dos novos prédios do Recreio e da Barra, torres redondas e futuristas, em bairros que sofreriam um boom depois da inauguração do túnel que ligaria a Zona Oeste à Zona Sul. Túnel que hoje tem o nome de Zuzu Angel, cujo filho foi morto e torturado pela mesma equipe que matou o meu pai.

O sensato seria nos mudarmos para Londres ou Paris. Minha irmã Vera passava férias em Londres. Deveríamos ter ficado dois ou três anos por lá, como fez o Gasparian. Meu pai perdeu o timing. Onipotência e teimosia que minha mãe nunca perdoou. Queria lutar quixotescamente numa guerra já perdida. Arriscou a família. Tinha cinco crianças. E tenho certeza de que, destroçado pela tortura, deve ter pensado nisso. Sabendo que a minha mãe e a minha irmã Eliana estavam nas mesmas dependências do DOI-Codi em 21 de janeiro de 1971, de capuz, prontas para os torturadores caírem em cima, sabendo que minha mãe e irmã não tinham a menor ideia do que faziam ali, ele deve ter sofrido, ele, o irredutível inconformado, que não soube tomar as precauções devidas. Inimaginável o seu sofrimento. Talvez a dor da tortura não chegasse aos pés da descoberta de que tomou decisões erradas, arriscou a vida da mulher e dos filhos, crianças ainda. Deve ter sido a sua derradeira tortura.

Quem tem um filho faz de tudo para se preservar, para dar suporte e acompanhar o crescimento daquele que mais ama. O que eu fiz? Por quê? Onde você estava com a cabeça? Agora não dá para voltar atrás. Agora não dá para fazer nada. Agora não dá para evitar a dor. Agora não dá para salvar minha família. Agora não dá para fugir da morte. Eu vou morrer, sinto que vou, espero que me perdoem. O que fiz prova minha vulnerabilidade, falhas do meu caráter, que pôs tudo a perder e causa muito sofrimento. Não tenho palavras, Eunice, Verinha, Cuchimbas, Lambancinha, Cacareco, Babiu... Perdão. Não verei mais vocês crescerem, não estarei mais ao lado de vocês, não consigo mais proteger vocês, não vou mais brincar com vocês, escutar suas risadas, correr atrás, nadar, não acompanharei vocês na escola, nossa casa maluca não sairá do papel, não saberei que faculdade farão, que diploma pegarão, não acompanharei vocês na vida profissional, não conhecerei seus filhos, meus netos, não verei meus netos crescerem, não estarei ao lado deles, não os protegerei, não vou brincar com eles, escutar as risadinhas, correr atrás, nadar, não acompanharei eles na escola, e como é triste saber que tudo isso acaba, que meu momento com vocês foi tão curto, que não pude aproveitar mais, e me arrependo, me arrependo de não ter passado tempo apenas com vocês, que pena que estou indo embora, que triste que não posso ficar, não me deixam ficar, é inevitável que eu vá, eu não queria, eu não queria, estou tão triste. Tenho que morrer agora.

Morreu repetindo o seu nome. Meu nome é Rubens Paiva, meu nome é Rubens Paiva, meu nome é

Rubens Paiva, meu nome é Rubens Paiva, meu nome é Rubens Paiva...

Dizem que foi torturado ao som de "Jesus Cristo", de Roberto Carlos, música que a minha irmã Eliana se lembra de ter escutado enquanto estava lá:

Jesus Cristo! Jesus Cristo!
Jesus Cristo, eu estou aqui
Toda essa multidão
Tem no peito amor e procura a paz
E apesar de tudo
A esperança não se desfaz

Meu nome é Rubens Paiva, meu nome é Rubens Paiva, meu nome é Rubens Paiva...

Jesus Cristo! Jesus Cristo!
Jesus Cristo, eu estou aqui
Olho no céu e vejo
Uma nuvem branca que vai passando
Olho na terra e vejo
Uma multidão que vai caminhando

14 de julho de 2013. Rocinha, Zona Sul carioca. Amarildo Dias de Souza, pedreiro, foi preso por policiais militares, levado até a sua casa e depois para a Unidade de Polícia Pacificadora (UPP) instalada na Rocinha.

No Leblon, Zona Sul carioca, meu pai, engenheiro, foi preso por militares em casa e levado a unidades da Aeronáutica e depois do Exército.

Amarildo era casado com a dona de casa Elizabeth Gomes da Silva e pai de seis filhos.

Meu pai era casado com Eunice Paiva, dona de casa, e tinha cinco filhos.

Não se tem notícias do paradeiro de ambos.

Para a polícia, traficantes da comunidade são os principais suspeitos do desaparecimento de Amarildo. Para o Exército, terroristas sequestraram meu pai enquanto militares faziam reconhecimento de aparelhos com ele num Fusca. Versão oficial que só foi desmentida em 2014.

Testemunhas ouviram Amarildo ser torturado por choques elétricos num contêiner anexo à UPP. Meu pai foi torturado num prédio do Pelotão de Investigações Criminais (PIC), onde funcionava o DOI, anexo ao I Exército, e testemunhas o ouviram gritar.

Retiraram o corpo como retiraram o corpo do meu pai, sem testemunhas, sem alarde.

A tortura é a ferramenta de um poder instável, autoritário, que precisa da violência limítrofe para se firmar, e uma aliança sádica entre facínoras, estadistas psicopatas, lideranças de regimes que se mantêm pelo terror e seus comandados. Não é ação de um grupo isolado. A tortura é patrocinada pelo Estado. A tortura é um regime, um Estado. Não é o agente fulano, o oficial sicrano, quem perde a mão. É a instituição e sua rede de comando hierárquica que torturam. A nação que patrocina. O poder, emanado pelo povo ou não, suja as mãos.

28 de junho de 2013. Tayná era uma adolescente que se encantou pelo parque de diversões montado perto da sua casa, na periferia de Curitiba. Avisou a mãe que ia até lá. Foi encontrada morta num matagal. Na imagem gravada por uma câmera de segurança de uma avenida, ela caminhava na direção do parque. A polícia agiu rápido, foi eficiente e apresentou quatro criminosos. Trabalhavam no parque de diversões. Confessaram que a estu-

praram. A população tentou linchar os quatro, que foram transferidos para outra cidade. Botou fogo no parque. Dias depois, o caso teve uma reviravolta. A Perícia Criminal do Paraná é desvinculada da Polícia Civil, autonomia que favorece os peritos. Descobriu-se que não havia sinais de estupro, abuso, fissuras nos órgãos genitais da garota. O sêmen encontrado nas roupas íntimas de Tayná não era compatível com os dos presos Sérgio, 22, Paulo, 25, Adriano, 23, e o irmão Ezequiel, 22. Os quatro foram torturados até confessarem o inconfessável. Um teve perfuração intestinal, depois de empalado. Outro ficou surdo, com o tímpano rompido. Um terceiro teve suspeita de osteomielite no pulso. Não há provas de que Tayná esteve no parque naquela noite. Vários policiais foram presos e afastados, entre eles o delegado que comandava a unidade. Os torturados voltaram destroçados para as suas famílias, para os seus pais e filhos, sem seu ganha-pão.

A tortura existiu em arenas romanas, em masmorras da Idade Média, em castelos, pelourinhos, foi patrocinada por imperadores, reis e papas, ditadores de esquerda e de direita. Existe quando um Estado precisa subjugar seus inimigos. Apesar de ser considerada crime hediondo, inafiançável, continua existindo. Por que a tortura nunca acaba? Serve para quê?

Para apressar, com eficiência duvidosa, a conclusão de uma investigação. Para encontrar reféns desaparecidos, comparsas, resgates e mandantes. Para desbaratar uma quadrilha. Como vingança. Para destroçar um indivíduo, reforçar quem manda, aterrorizar a população, torná-la dócil. Para dar senso de camaradagem a uma comunidade fechada, como um satânico rito grupal primitivo. Para unir sob uma bandeira que não se sustenta. Para humilhar.

Tortura também serve para inspirar ódio dos próprios torturados por eles mesmos, que se sentem culpados por não resistirem à pressão e a dor e entregar companheiros, comparsas, a família, inventar até o que não fizeram. O torturado se sentirá então o próprio repressor, o próprio torturador. Na ditadura, torturaram freis, freiras, bispos, padres brasileiros e estrangeiros, velhos, bebês, grávidas, pais com filhos, mães amarradas diante de filhos, por uma causa torpe. O torturador tem pai, filho, esposa, amigos, vida pública, faz compras, viaja de férias, gasta horas no trânsito, paga impostos, economiza, vota, protesta, planeja o futuro. Pensa no seu gesto ou apenas cumpre ordens? Nenhum torturador dá nome a uma escola, uma praça, uma rua, tem um busto. Já seus torturados... Ele cumpre uma rotina trivial sem distinguir o certo do errado? Vive sob a banalização do mal sem questionar moralmente os efeitos dele? Até democracias que priorizam o bem social, defendem a liberdade, movidas pela igualdade, torturam.

20 de janeiro de 1971. Meu pai apanhou por dois dias seguidos. Apanhou assim que chegou na 3ª Zona Aérea, interrogado pelo próprio brigadeiro João Paulo Burnier. Apanhou no DOI-Codi, no quartel do I Exército. Meu pai era um homem calmo, bom, engraçado, frágil fisicamente. E vaidoso. Um dos homens mais simpáticos e risonhos que Callado conheceu. O que mais lembram dele? Da gargalhada, que fazia tremer a casa. Fumava charutos. Gostava de comer do melhor. De viajar. Gostava de Paris. Chegou a morar lá, aos vinte anos, a uma quadra do Sena. Passou um ano na Europa, com os três irmãos, em 1947, para testemunhar a reconstrução de uma terra arrasada. Falava inglês e francês. Cantava algumas músicas em alemão, que aprendeu com sua tia Berta, alemã

solteirona: "O, du lieber Augustin, Augustin, Augustin. O, du lieber Augustin, alles ist hin...". Oh, querido Agostinho, tudo está perdido... Música austríaca baixo-astral cantada de forma histriônica, como toda música em alemão, que fala da quase destruição de Viena pela peste no final do século XVII. "Geld ist weg, Mensch ist weg, alles hin, Augustin. O, du lieber Augustin, alles ist hin. Rock ist weg, Stock ist weg, Augustin liegt im Dreck, o, du lieber Augustin, alles ist hin." Não há mais dinheiro, as garotas desapareceram, tudo está perdido, Augustin, cada dia era uma festa, e agora é o quê? É a peste, é a peste, Augustin.

Imaginar este sujeito boa-praça, um dos homens mais simpáticos e risonhos que muitos conheceram, aos quarenta e um anos, nu, apanhando até a morte... É a peste, é a peste, Augustin. Dizem que ele pedia água a todo momento. No final, banhado em sangue, repetia apenas o nome. Por horas. Rubens Paiva. Rubens Paiva. Ru-bens Pai-va, Ru... Pai. Até morrer.

O telefone tocou

O feriado de 20 de janeiro de 1971 é um dia que não tem fim. Demoramos para entender por que esse dia existiu e foi daquele jeito. Depois de caminhar na orla, meu pai se deitou no sofá do escritório de casa, acendeu um charuto e começou a ler jornais. Minha mãe lhe fez companhia. O telefone tocou pouco depois das dez da manhã. A voz de uma mulher pediu nosso endereço para entregar uma encomenda do Chile. Ele não notou nada de anormal e deu.

Meia hora depois, seis sujeitos armados em trajes civis cruzaram o quintal. Tensos, como se invadissem um aparelho subversivo. Entraram pela porta dos fundos da casa de esquina. Cruzaram a cozinha, apontando metralhadoras para a empregada, Maria José. Mandaram erguer as mãos. Calma, calminha...

Meus pais, ambos com quarenta e um anos, estavam lá, de maiô, prontos para ir à praia. A empregada entrou pálida. Disse para o meu pai que tinha uns homens querendo falar com ele. Ele saiu. Minha mãe continuou a ler o jornal. Ele voltou escoltado por dois militares com metralhadoras e disse:

— Amorzinho, fica calma.

Ele pediu para baixarem as armas. Meu pai os apresentou à minha mãe, de um em um, disse que eram nossos hóspedes e que a casa estava à disposição. Era aparentemente o mais calmo de todos. Perguntaram quem mais estava na casa. Minha mãe explicou que só crianças. Foram todos para a sala. Minha irmã Babiu percebeu o barulho, foi até lá, minha mãe a acalmou e a convidou a se sentar. Perguntaram dos outros. Sim, meu filho, um garoto, está dormindo.

Fecharam todas as cortinas e janelas da casa.

Tomado o "aparelho", fizeram perguntas, trocaram informações por rádio, até informarem que o levariam para prestar um depoimento. Coisa de rotina. Ele pediu para se trocar. Subiu com dois agentes. O resto da família ficou na sala. Ele se vestiu acompanhado pelos dois, colocou terno e gravata. Minha irmã Nalu chegou com Cristina, enteada de Sebastião Nery, também deputado cassado. Deram uma paradinha em casa, pois iriam à praia depois. Não entenderam o que acontecia. Nalu subiu e viu meu pai se vestindo, estranhou o figurino formal para um dia de sol e feriado. Pediu uma camisa emprestada, para fazer de túnica, um hábito das minhas irmãs. Ele emprestou, desceu, papeou ainda com Cristina, mandou lembranças ao padrasto.

Ele colocou um relógio no pulso, umas cadernetas no bolso. Foi com dois agentes dirigindo o Opel da minha mãe. Quatro sujeitos ficaram em casa. Um deles disse se chamar dr. Stockler, especialista em parapsicologia. Minha irmã Eliana chegou da praia. Estranhou a casa toda fechada, cortinas e janelas fechadas. Ao entrar, minha mãe logo lhe informou o que acontecia.

Acordei depois de tudo isso. Fui sonolento ao banheiro. Escovando os dentes, percebi um intruso no corredor, que vigiava pela janela do segundo andar o movimento da rua. Cumprimentei-o com a cabeça. Ele era quieto, sempre ficava no segundo andar.

A cada seis horas, esses homens eram substituídos por outros quatro. Para mim, eram sempre os mesmos.

A memória não é apenas uma pedra com hieróglifos entalhados, uma história contada. Memória lembra dunas de areia, grãos que se movem, transferem-se de uma parte a outra, ganham formas diferentes, levados pelo vento. Um fato hoje pode ser relido de outra forma amanhã. Memória é viva. Um detalhe de algo vivido pode ser lembrado anos depois, ganhar uma relevância que antes não tinha, e deixar em segundo plano aquilo que era então mais representativo. Pensamos hoje com a ajuda de uma parcela pequena do nosso passado.

A prisão do meu pai (como a da minha mãe e da minha irmã) com o tempo ganhou outro significado, outras provas, testemunhas, releituras.

Quando desci a escada, não encontrei um ambiente de terror. Estavam todos calmos, calmos até demais. A casa parecia na rotina. Ninguém comentava a presença daqueles estranhos não fardados, então sem armas, jovens, de boa aparência, educados até. Era comum ter em casa gente desconhecida espalhada pelos cômodos. Especialmente num feriado. Mas não estavam com roupas de praia. No fundo, pareciam encabulados. Era como se a família tentasse seguir a rotina, e eles percebessem que, na verdade, aquela era uma casa comum, não um aparelho. O telefone tocava e era um dos sujeitos, Militar 1, quem atendia, com o telefone preto de laca na mesa de centro da sala, telefone que ficava no escritório e tinha um fio enorme esticado. Perguntei à minha mãe:

— O que está acontecendo?

— Nada, filhinho. Você já tomou o café?

— Quem são estes caras?

Ela disse que eram fiscais, depois disse que vieram dedetizar a casa. Criativa.

A ordem era levar todo mundo que aparecia. E num feriado, num dia de praia, apareceria todo mundo. Levaram garotos amigos das minhas irmãs que apareceram. Apareceu o Nelson, filho de um casal amigo dos meus pais, e o levaram preso também. Foram todos pro DOI-Codi.

O almoço foi servido. O clima era de apreensão, não tensão. Minha mãe então ofereceu um almoço. Vocês estão servidos? Eles ficaram sem graça. Aceitaram. A empregada dizia:

— Tô uma pilha de nervos, minha mão não para.

Nós da família almoçamos na mesa, eles, espalhados pela casa. Minha mãe falou trivialidades. Falamos trivialidades. O que tem de sobremesa? Abacaxi. Todo dia tinha abacaxi. Não sei por quê, mas implicamos com abacaxi. Como sempre tinha abacaxi, cantávamos em coro, batendo na mesa: "A-ba-ca-xi! A-ba-ca-xi! A-ba-ca-xi!". Nunca tinha sorvete, torta, doces mineiros, crepes. Nem açúcar tinha em casa. Nem refrigerante. Tinha suco sem açúcar, com adoçante! Minha mãe, obcecada pela forma física, sabendo a origem italiana de todos nós, nos ensinava desde cedo a odiar gordos, desprezar barrigas, ignorar doces e a experimentar as maravilhas de uma laranja, maçã, pera, mexerica e de um a-ba-ca-xi!

Saí na surdina. Fui jogar bola na praia, sem ninguém perceber. Bem em frente, no posto 11, tinham quadras de areia de vôlei e futebol. As de vôlei ainda estão lá. Não cabe mais um campo de futebol. O mar quando bate na praia é bonito. O mar subiu. A larga faixa de areia de Ipanema, Copacabana, Leblon, diminuiu. Era um longo caminho a ser percorrido entre a calçada, a areia fumegante e a areia úmida. Corria-se como um atleta para cruzar a "zona morta", faixa de praia em que ninguém ousava se deitar. Jogar futebol de areia no Rio de Janeiro é para superatletas. Em Santos, a areia é dura, joga-se muitas vezes de tênis ou até chuteira. No Rio, o pé afunda, o jogador fica atolado, a bola não rola numa trajetória lógica, pipoca imprevisível, irascível, incontrolável.

Na frente de casa, rolavam peladas entre crianças, jovens, por vezes um combinado entre adultos e crianças, por vezes era um contra um (um debaixo das traves, outro chutando), e aos fins de semana partidas animadas com torcidas entre os times de futebol de praia, com camisa, rivalidade, disputas acirradas. Nada a ver com o *beach soccer* jogado hoje. Era o mesmo futebol do gramado, onze contra onze, sobre a areia, descalços, de camisa e calção. Nos anos 60, alguns jogos eram até transmitidos pela TV Rio, de times como Lá Vai Bola, Dínamo, Radar, Real Constant, Copaleme, que mobilizavam os moradores do bairro. Alguns jogadores, como Júnior e Heleno de Freitas, foram revelados na praia.

Na frente de casa, um par de traves era o ponto de encontro, e lá se decidia na hora o que fazer. As regras também eram decididas na hora. Os times, escolhidos na hora.

Cheguei e havia dois garotos. Como estávamos em três, seria um no gol e dois disputando a bola; quem não fizesse o gol trocava de posição com o goleiro, que ia para a linha. Mais chutes que dribles, como nos jogos de areia fofa. Um jogo preguiçoso, sob o sol abrasador. Eram dois garotos que moravam na rua, dois irmãos, dos que me chamavam de Viga, cujo pai tinha uma Kombi e nos levava ao Maracanã. Na minha casa, dedetizadores, e eu nas areias, chutando uma bola pesada, sem correr muito.

Eu amava aquele Rio de Janeiro. Minha família amava. Quem não amava? Melhor coisa da vida, nossa mudança pra lá. Olha o espaço, a vista, a quantidade de amigos que tenho. Como é fácil fazer amigos na rua, na praia. Vou e volto de busão para a escola. Aqui, a criançada, rica ou pobre, anda de busão. Eu nado. Bicicleta. Bola. Jogo aqui, na Cruzada, na rua, no clube, em outro clube, onde tiver uma quadra, jogo futebol de salão, de areia, de terra, jogo no gol, na linha, descalço, de tênis, e moro a quadras do Mengão, o primeiro time de coração.

Voltei para casa e levei uma dura de um dos dedetizadores. Perguntou onde eu estava. Como assim, onde eu estava? Quem é você para me perguntar onde eu estava? Eu estava, como sempre, ali em frente jogando bola. É o meu direito. É a minha praia! É feriado, férias, não tem aula. Ninguém me impede de ir à praia. Só atravessar a rua com cuidado. Ela é de todos.

A minha resposta foi tão surpreendente que ele não falou nada. Me olhou com uma cara do tipo "você não tem a menor ideia do que está acontecendo por aqui, não é, garoto?".

Minha mãe viu tudo aquilo e teve a ideia. Me fez subir com ela no quarto, como se fosse me dar uma dura. Me perguntou como consegui sair. Caminhando. Por onde? Pela garagem. Escreveu um bilhete pequeno, colocou numa caixa de fósforos e pediu para eu entregar à vizinha, Helena, e que ninguém me visse. Pelo tom de voz, senti que era uma ordem não questionável e uma missão facílima de ser realizada, garoto.

Nem pensei duas vezes. Poderia pular de um muro para o outro, mas eu seria visto. Priorizei a segurança e a eficiência da minha primeira ação efetiva contra a ditadura. Nossa casa ficava na esquina da Almirante Pereira

Guimarães com a Delfim Moreira. O portão de entrada era na Guimarães. O da garagem, na Delfim Moreira. O endereço era Delfim Moreira, 80. Existe ainda. Não a casa, o endereço, um prédio preto, de poucos andares, construído no boom imobiliário que desfigurou o Leblon dos anos 80. Um edifício escuro, que lembra um caixão, com um jazigo, uma pedra preta em frente, e que ficou anos em reforma, corroído pela maresia. Sei porque toda vez que passo em frente dou uma boa olhada. Olá, antiga casa. Olá, antigo garoto.

Fui pela Afrânio de Melo Franco, que tinha uma turma da pesada, a mais violenta do bairro; era numerosa e temida por todos. Por vezes, quebravam um bar, uma boate, um segurança. Saía no jornal, jovens de classe média fazendo arruaças. Todos comentavam. Iam para a delegacia, na própria Afrânio. Todos tinham pais influentes, que os libertavam para a próxima arruaça. A minha turma, da Almirante, nem se comparava com essa.

Entrei na San Martin. Já fui assaltado uma vez ali. Quer dizer... Uns garotos da favela do Pinto me cercaram. Eu estava de bicicleta. Queriam a minha grana. Eu tinha uns trocados no bolso da camisa. Ficaram nessa. Dá o dinheiro, não dou, dá o dinheiro, não dou, cara, qual é, qual é você? Não dei o dinheiro. Ponto final. Qual é? Ainda existia respeito entre os moleques do bairro. Nunca me assaltaram, apesar de eu ser um dos riquinhos que moravam na área cercada por duas grandes favelas.

Entrei correndo pela Almirante. Passei pela casa dos meus amigos sem parar. Passei voando pelo predinho em que morava Fabinho, cruzei a Kombi que nos levava ao Maracanã, pela casa do Nando Buco, pelo sorveteiro que ficava no meio da quadra, pela sauna, que no Rio é chamada de termas. Fui desacelerando, encostado nos muros das casas, passei pela garagem do Eltes, que servia de gol e cuja vidraça quebrei umas cinco vezes com o poder do meu chute. Era quebrar e correr, e esperar à noite o esporro da minha mãe. E pagar varrendo sua calçada. Mas Eltes era gente boa. Parou de reclamar a partir da terceira vidraça quebrada.

Então toquei a campainha, abri a caixa e li o bilhete. Veio a Helena, tia Helena, mulher do Eltes. Minha mão tremia. Minha mãe pediu para te entregar isso. Entrega a caixa e corre! Tentando entender o que estava escrito num bilhete dobrado num papel de pão: "Rubens foi preso, ninguém pode vir aqui, senão é preso também". Cena de que a memória guardou detalhes, segundo a segundo, do ritmo cardíaco à temperatura do asfalto, da brisa quente do mar, do tempo que tia Helena demorou, da sua surpresa ao me ver e ao ver meu desespero. Rubens foi preso. Por quê? O que ele fez? Ninguém pode vir aqui, senão é preso também.

Papai foi preso. Papai sempre tem problemas. Papai é um político perseguido. Desde que me entendo por gente, papai tem problemas com gente poderosa, foge, reaparece, se esconde. No Brasil, muitos têm problemas. Papai uma vez nos explicou. Os gorilas, como ele chamava os militares, como muitos os chamavam, tomaram o poder porque não queriam reformas que ajudassem aos pobres, assim nos explicava. Eu adorava a alusão de que aqueles caras que apareciam fardados de óculos escuros na TV e mandavam no Brasil eram gorilas.

Toda vez que passo pela Afrânio, imagino a cena: o garoto de onze anos, em 1971, correndo desesperado num inocente dia de praia, voltando para casa em pânico, para os braços da mãe, sabendo que o pai foi preso. Cruzei aquelas árvores. Cruzo sempre quando vou ao Rio. Algumas árvores da Afrânio estavam lá naquela época. Andando pelo Leblon, refaço esse percurso, com o coração na mão, relembrando os passos, revivendo aqueles dias inacreditáveis de um destoante verão carioca. Por muitos anos, as traves em frente de casa mantiveram um rabisco que fiz na infância: MRP. Por muitos anos, fiz questão de checar se o rabisco ainda se mantinha na década de 70, 80. Mataram RP, mas o MRP resistia. Por alguma razão que não sei explicar, a faixa de areia das praias cariocas encurtou. Minhas traves não estão mais lá. Levaram a madeira pintada de branco com o rabisco MRP. Reciclaram. RP e MRP não resistiram ao tempo. Hoje há apenas redes de vôlei.

Na orla em frente, o Quiosque do Baixinho. Coco, Biscoito Globo, servidos não por um baixinho, mas pela minha amiga Juliana. Em 1971, pulei um muro que não existe mais e corri na direção da Afrânio. Cruzei quatro palmeiras. Delfim Moreira, 90, um prédio grande, dos antigos, Delfim Moreira, 106, outro predinho antigo, Delfim Moreira, 120, prédio baixo, que com certeza estava lá quando percorri o caminho, janelões grandes na sala, prédio velho de três andares, Delfim Moreira, 130, outro prédio pequeno, outra testemunha. Viro na Afrânio em direção à Lagoa. Predinhos geminados de quatro andares, bege, com janelões na sala sem varanda e dois quartos com janelas de treliça de correr, uma paisagem constante no Leblon antigo, Leblon tombado. Afrânio, 42, um edifício chamado Paul Klee. Que nome surreal para um prédio... Muitas amendoeiras pelo caminho. Estão lá há décadas. Dão os coquinhos com que a molecada do bairro guerreava. Que não são coquinhos, mas amêndoas verdes que nunca amadurecem. Árvores em simbiose com a trepadeira jiboia, ou hera-do-diabo, cuja folha parece um coração, que sobe como uma espiral cobrindo o caule. Algumas figueiras também por ali. Na esquina da Afrânio com a San Martin, cruzo onde tinha as casinhas da praça Almirante Belfort Vieira. Que não é mais praça, mas um largo. O prédio baixo e antigo do Fabinho virou um prédio amarelo de doze andares. Demoliram o pequeno prédio e a sauna (ou termas) para construírem outro gigante. A casa do Fernando Pernambuco também virou prédio de doze andares construído na mesma época. Ainda tenho dúvidas se o sobrado do Eltes, que ficava na Almirante Pereira Guimarães, 12, virou o mesmo prédio que tomou a nossa casa de esquina. A garagem dele, o portão de madeira que servia de gol, é exatamente onde fica a garagem do prédio. Os canteiros em que jogávamos bola de gude ainda estão lá. Para quem passa hoje, é uma calçada qualquer. Para mim...

Por aquelas ruas, fui também incrivelmente feliz. Por aquelas ruas, minha família, minhas irmãs, sobretudo meu pai, que se deslumbrou desde o primeiro dia com o Rio de Janeiro, santista que encontrou a cidade praiana cosmopolita, foram felizes. Não fecho os olhos para o fato de que, cada vez que visito aquelas ruas, aquela quadra, elas não são as mesmas. Como olhar para as mesmas ilhas Cagarras, na orla da Zona Sul, ilhas que ficam diante das praias de Ipanema, Leblon, Pepino, Barra e Recreio, arquipélago de sete pequenas ilhas e rochedos inabitados, sem reparar que elas também se transformam. Do Alto Leblon, elas têm um formato. Do Jardim de Alá, na fronteira entre Leblon e Ipanema, outro, o grande rochedo fica ao centro, e à distância elas se parecem uma ilha só. Caminhando até o Arpoador, no final de Ipanema, o arquipélago muda de formato, as ilhas se mostram separadas: o grande rochedo, a ilha Cagarra Grande, de oitenta metros de altura, não fica no meio, como me acostumei a ver diariamente da janela daquele pequeno sobrado na Delfim Moreira, 80, como a grande mãe. Aliás, a ilha Cagarra Grande é a mais distante. Todo carioca percebe numa simples caminhada a mudança do formato de algo que de longe parece um bloco sólido. O que vemos não é bem o que vemos. Por isso, como muitos, escrevo o que já escrevi.

Depois de entregar o bilhete, entrei transtornado em casa pulando o muro vizinho, pelo mesmo caminho que saí. Os tais agentes de dedetização tinham prendido meu pai. Ninguém podia vir aqui, senão era preso também.

Na sala, minhas irmãs jogavam cartas com dois agentes. Espalhadas pelo sofá e pelo chão, usando uma mesa baixa de centro. Todos estavam calmos. Eles não pareciam maus. Não pareciam vilões. Não pareciam com ódio. Eram até educados. Não pareciam dominar a nossa rotina. Não pareciam algozes, carcereiros. Pareciam convidados. Não pareciam eficientes, pois não perceberam minha ausência momentânea. Se o inimigo era aquele, não demonstrava.

Nós tínhamos direito de ir e vir dentro de casa. A calma se transformava quando tocava o telefone. Um atendia numa extensão, e minha mãe era obrigada a falar sob a vigilância de outro. Respondia secamente aos amigos que ligavam para saber da programação do feriado. "Ele não está." "Ele saiu." "Ele viajou." "Ele não voltará..." Os amigos do outro lado estranhavam. Eunice, o que foi? Como não está, combinamos de ir à praia, como viajou, íamos jantar hoje, como saiu, para onde, nesse calor, nesse sol? A frieza da minha mãe não foi ensaiada, não seguiu um manual da esposa do guerrilheiro urbano, "do terror!", foi intuitiva, ela foi esperta, seguiu uma mágica intuição, nunca pensou no que falar, falava simplesmente, e sempre observei com atenção, pois o que falou sempre fez sentido, em entrevistas, em coletivas, em ambientes tensos, com dedetizadores, na militância contra a ditadura, na de direitos humanos, nas reuniões da Anistia, com índios, com Sting, era o bom senso materializado, era invejável, e tentei imitá-la em vão por toda a vida, nas entrevistas mais intrincadas que dei, sob um bombardeio de perguntas dúbias, em que se esperava de mim A OPINIÃO de familiares vítimas da ditadura, A OPINIÃO do jovem escritor, A OPINIÃO do formador de cabeça. Imaginava o que minha mãe responderia, qual a sua, a NOSSA luta, a luta de todos, a luta por direitos, a luta por justiça, o que quer a humanidade, qual a sua OPINIÃO.

Sua frieza acendeu o alerta. Como Rubens sumia assim num dia que deu praia; liga de novo, Eunice está estranha, não parece a Eunice calorosa de sempre, será que ligamos certo?

A suspeita se confirmou. Rubens foi preso. Rubens foi *internado*. Rubens estava na mira. Todos estavam. Era a ditadura. Já tinham prendido velhos intelectuais, editores, jornalistas, humoristas, professores, sindicalistas, deputados, militares, cantores, músicos, atores, diretores de teatro, de cinema, escritores, estudantes, padres, freiras, juristas, freis. Tinha escuta telefônica por todo lado. Interceptação de cartas e telegramas. O cerco estava apertado. Rubens caiu. Rubens foi internado.

A rede de amigos foi contatada. O alarme tocou. Alguns fizeram as malas e se mandaram para o aeroporto o mais rápido possível. Exilados foram informados. Correspondentes estrangeiros também. Rubens, logo ele? Era contra a luta armada, era um ex-deputado cassado, nem era comunista, era carta fora do baralho. Mas caiu, foi internado.

O tempo em casa não passava. Serviam-se lanchinhos. Sucos. Eu não vi nenhuma arma. Sei que entraram com metralhadoras em punho. Sei que por um tempo todos estiveram na mira de revólveres. Sei que, a pedido da minha mãe, guardaram-nos depois de um tempo, numa sacola que ficou debaixo da escada. Só sei que quando acordei não vi nenhuma arma.

Passei a noite entediado, jogando botão sozinho. Narrando a partida, como uma transmissão de rádio. Da janela, viam-se as pichações sob cal feitas durante a visita do banqueiro americano um ano antes. Eram em vermelho, apressadas. FORA ROCKEFELLER. Picharam todo o Leblon. Muitos nem sabiam quem era. E por que não queríamos a presença do "bom amigo" americano, governador de Nova York, milionário, republicano liberal, progressista, cuja fundação até hoje incentiva a pesquisa, curador de museus? Para onde vai o Brasil, vão os Estados Unidos. Rockefeller veio para alinhavar acordos bilaterais, refinanciar a dívida externa, investir dinheiro no Brasil, enviado pelo bom governo americano, amigo dos brasileiros. Para onde os Estados Unidos vão, o Brasil vai junto.

Aquelas pichações ficaram dias nos muros das casas da Zona Sul. Os moradores que tiveram de pôr a mão na massa e na cal e repintar seus muros. Alguns moradores com raiva, ou preguiça, só jogaram cal em cima, displicentemente. Da minha janela ainda se lia, rósea, a frase ORA RO EFE LE.

Anos depois se soube: foi o PCB, que não participou da luta armada, que comandou as pichações. Para o Partidão, era preciso fazer a revolução por dentro do sistema, que pelas suas contradições e determinismo histórico ruiria. Não era preciso, então, pegar em armas, mas fazer trabalho político. Como pichar em vermelho FORA ROCKEFELLER nos muros de Ipanema e do Leblon.

Doze dias

Na manhã seguinte, e isso se repetiria por muitos anos, acordei ansioso, e a primeira coisa que fiz foi correr para ver no quarto deles se meu pai tinha voltado. Nada. A cama vazia. Só minha mãe fumando na janela. Nada ainda. Fumava desanimada.

Às onze da manhã, uma movimentação diferente na rua: duas viaturas de chapa fria encostaram rente à porta. A ordem foi dada. Levar a mulher do ex-deputado e a filha mais velha presente na casa. Chamaram a minha mãe. Disseram que a casa "seria liberada". Ela e a filha deveriam ir com dois deles no Fusca creme. Dar depoimentos. É rápido. Reconhecer umas fotos, e voltam hoje mesmo. Rotina. Minha mãe e minha irmã Eliana foram escoltadas até o carro e levadas. Toda operação de busca e apreensão se encerrava ali. Foram embora. O "aparelho" foi liberado. Restaram Nalu, treze anos, eu, onze, Babiu, dez, e Maria José, a empregada. Estávamos liberados, mas ainda presos: numa prepotência ridícula, nos trancaram e levaram a chave; como a casa tinha grades no térreo, pois já tinha sido assaltada, para sairmos havia uma logística complicada; e por que merda nos trancaram e levaram a chave, que tipo de luta é essa que combatiam, que perigo três crianças representavam num sobrado do Leblon? No cenário da guerra, gestos triviais se tornam infames.

Ligamos para a mãe da minha mãe, vó Olga, que morava em São Vicente. Foi a primeira pessoa que nos veio à cabeça, já que ela dispunha de uma chave da casa e costumava ficar conosco quando meus pais viajavam. Minha avó saiu fugida da Itália com quatro anos. Seu pai era um anarcossindicalista procurado em Modena, que se mudou às pressas com a família para o Brasil. Ela saberia o que fazer. Nos pediu calma. Estávamos calmos. Irritados com aqueles caras que havíamos tratado bem e nos trancaram e levaram as chaves, mas calmos, pois não fizeram estragos na casa, foram embora e, até então, nenhum ferido. Não que soubéssemos.

Não tínhamos ideia do que acontecia nas prisões, do que era Cisa, DOI, CIE, PIC, Dops, por que meu pai tinha sido preso um dia antes e, depois, minha mãe e minha irmã. Tanta gente amiga foi presa. Tantos combatentes jovens e veteranos, com cara de velhinhos simpáticos, que não fariam mal a ninguém, amigos do papai. Alguns passavam dias presos, meses no máximo. Eles voltariam no dia seguinte, depois de tudo esclarecido, afinal, ali tinha uma família sem nada a esconder, numa casa que era um entra e sai, de um chefe de família que teve problemas políticos lá em 1964, mas que nem se metia mais, nem sabia o que estava acontecendo, se é que tinha alguma coisa acontecendo, não se falava de prisão de crianças, de mulheres, de tortura, muito menos de desaparecimento.

No Fusca, os dois policiais se comunicavam por rádio com alguém chamado Grilo. Minha mãe e minha irmã foram encapuzadas na praça Saens Peña, já na Tijuca. Um deles pediu desculpas pelo capuz. Nem todos são casos perdidos: violência constrangia aqueles que tinham noção do absurdo. Minha mãe percebeu para onde estavam indo: Quartel do 1 Exército, na Tijuca, rua Barão de Mesquita. Primeiro Batalhão da Polícia do Exército (BPE) — Batalhão Marechal Zenóbio da Costa. Um prédio bonito inaugurado em 1951 em homenagem ao marechal Zenóbio da Costa, herói comandante da Força Expedicionária Brasileira na Segunda Guerra Mundial. Quartel da Barão de Mesquita. No anexo, ao fundo, o DOI-Codi, o maior centro de tortura na América Latina, que usava tecnologia inglesa e americana, fazia experiências com novas técnicas de como arrancar confissões e despedaçar o inimigo, sem contar o know-how nacional já testado havia décadas em presos políticos e especialmente nos comuns: o infame pau de arara. A máquina de moer ossos, diziam, orgulhosos. Que inspirou outros centros na América Latina, readaptou a tortura para a nossa realidade e exportou conhecimento. Detalhes que não sei se a minha mãe sabia.

Testemunhas as viram chegar, ficarem em pé no pátio por alguns minutos. Empurraram-nas até o Centro de Informações do Exército (CIE), uma ala ao fundo. Não lhes tiraram o capuz dentro das instalações. Ela e minha irmã foram revistadas separadamente e despojadas dos pertences. Ficaram horas de capuz sentadas num banquinho num corredor. Sem saber que uma estava ao lado da outra. Depois, foram fotografadas e fichadas. À noite foram levadas cada uma para uma cela.

Almoçamos seguindo a rotina da casa, sem pais. No resto do dia, não tínhamos o que fazer, a não ser esperar, esperar minha avó, esperar pela decisão dos adultos. A essa altura, todo o Rio de Janeiro já sabia do que tinha acontecido na casa do Rubens e da Eunice. Todo o Rio de

Janeiro é a forma como muitos do Rio de Janeiro se referem aos moradores da Zona Sul, de uma classe social determinada, que frequentam a mesma praia e nem sempre têm as mesmas convicções políticas. Não era todo o Rio de Janeiro, era uma parte dele, parte minúscula. Aquela que talvez soubesse quem era ROCKEFELLER. Amigos da família, fingindo que caminhavam pelo calçadão da orla, passavam para checar o que acontecia, se continuávamos cercados, se havia viaturas suspeitas. Eunice e Rubens foram presos. Uma rede de telefonemas se armou. Eunice e Rubens foram internados.

Minha avó Olga e meu avô Facciolla chegaram de São Paulo no fim da tarde. Abriram as portas com a chave que tinham. Como se abrissem a janela de um ambiente abafado. À noite, apareceram alguns amigos da família. Perguntaram-se por que prenderam o casal e uma menina de quinze anos. Imediatamente começaram a planejar os próximos passos. Precisamos esconder os outros filhos. Vale tudo nessa guerra suja. Existem casos de crianças presas e torturadas. Façam as malas.

Na manhã seguinte, Nalu foi levada para Petrópolis. Me colocaram num carro, com um motorista que eu desconhecia. Você vai para o sítio, disseram. Não disseram que sítio, com quem, até quando. Mal deu tempo para fazer a mala. Babiu ficou com os meus avós.

Fui no banco de trás. Falamos trivialidades, eu e o motorista. Trivialidades = futebol. O caminho, reconheci na hora. Avenida Brasil, entrada à direita, estrada de Petrópolis. Me levava para a região serrana. Fiz algumas vezes aquela viagem. Petrópolis, Teresópolis, Araras... Muitos pais de amigos tinham casas lá. É perto do Rio, é fresco, é lindo, é imperial. E sabia que nos primeiros quilômetros tinha a famosa barreira policial, temida por todos. Barreira que costumava dar uma batida completa: revista, porta-malas abertos, checagem de documentos.

Ao nos aproximarmos, vi de longe os policiais e seus uniformes azuis no meio da pista, entediados, com um olhar que misturava indiferença vigilante com "estou mesmo preocupado com outras coisas". Fora de forma, nada ameaçadores, parando alguns carros, como se tanto fizesse, num que droga de vida, que droga de calor, escolha que nunca entendi: aleatória, carro de rico, de pobre, de indefeso, de suspeito? Quem é suspeito, o motorista com óculos escuros, o suado, o tranquilo? Homens ou mulheres? Jovens ou velhos? É racial? Econômica?

Por precaução, quando o carro entrou na fila seletiva, este fica, este vai, me deitei no banco traseiro, cobri meu rosto e montei o retrato: um garoto de onze anos dorme no banco de trás, desconhecendo o fato de o mundo estar dividido em dois blocos e de que, em 1964, montou-se o temor de que o Brasil estava para se tornar comunista, o bloco do mal, do forte e único partido comunista, o PCB, encabeçado por um líder carismático, Luís Carlos Prestes, que influenciava o movimento sindical, estudantil e camponês, com o cofre abarrotado pelo ouro de Moscou, enquanto na ilha de Cuba um movimento guerrilheiro libertário destronava o ditador da folha de pagamento da máfia, também do mal, apesar de não ser comunista, doutrina essa que conseguiu colocar o primeiro satélite e o primeiro homem no espaço, depois da união de proletários, que se industrializou sem patrões, construiu bombas atômicas, mísseis e uma utopia que não vingou, câncer comunista que crescia até no mundo livre, através de movimentos guerrilheiros que pipocavam na Ásia, África e América Latina, onde tinha comuna por todo lado, especialmente no Brasil, na arquitetura, como

Niemeyer, no cinema, como Glauber Rocha, escritores, como Graciliano Ramos, Jorge Amado, grupos de teatro do Centro Popular de Cultura (CPC) e dramaturgos, como Dias Gomes, Oduvaldo Vianna Filho, Gianfrancesco Guarnieri, editores, jornalistas, pintores, dando a impressão que de repente toda a intelectualidade tinha virado comuna, e a tradicional família cristã sofria, seus filhos viam Nouvelle Vague, liam marxismo, diziam que religião é o ópio do povo, e outros, niilistas, falavam da morte de Deus, outros, de direitos civis, feminismo, sexo ântes do casamento, duvidavam da monogamia, debatiam o sentido da vida, fumavam Gauloises e liam um casal de filósofos comuna e promíscuo, Sartre e Simone.

Quem deu o golpe de 64 pensou mesmo em nos salvar do comunismo? Planejou enfrentar o comandante-chefe das Forças Armadas da URSS, Vassili Chuikov, que poderia nos invadir pelo Nordeste com soldados cubanos munidos de AK-47, juntar-se às Ligas Camponesas e a Arraes, com tanques T-54 e T-55, que estiveram em Praga, no Vietná, que desceriam o cerrado apoiados pelos aviões supersônicos MIG-19 e MIG-21, caças de interceptação SU-9 e bombardeiros Ilyushin Il-28, e cercariam Brasília pelo flanco esquerdo, para empossar o proletariado e candangos da URSB (União das Repúblicas Socialistas Brasileiras), que sofriam lavagem cerebral de um latifundiário que, como Tolstói, virou comuna, Jango? Cada vez mais, tal tese soa uma asneira bíblica.

Mas o garoto dorme no banco de trás. O garoto não sabe do que acontece no mundo e do estresse que vivemos naqueles dias. Deve estar sonhando com seu Flamengo, que está há anos sem ganhar um título. Mal sabe que, na década de 70 e principalmente na de 80, na chamada Era Zico, ele será o time mais vencedor do país, será campeão do Brasil quatro vezes, da Libertadores e do Mundo em 1981, anos de glória e alegrias, para compensar a frustração dos anos 60, justamente os anos em que você, garotinho do Leblon, começou a se interessar por futebol e escolheu o Flamengo. Deixe esse carro com esse garoto sonhador passar. Não representa ameaça à segurança nacional.

Minha mãe entrou escoltada numa sala que parecia a de uma repartição pública. Tiraram o capuz da "cliente". Era assim que chamavam os presos. Depois do interrogatório, viravam "pacientes". A repressão política em 1971 estava metódica, com um organograma padronizado em todos os estados. Quem prendia não era quem interrogava ou torturava. No início, não interrogavam sobre o passado. A prioridade era o presente e o futuro. Se o preso tinha treinado em Cuba, na China ou na Argélia, o matavam em "campo", na rua. Ele "viajava", como se referiam. Em 1971, nem era mais preso. Era um "cubano", diziam. Não queriam correr o risco de ter que trocá-lo dias ou meses depois por um diplomata sequestrado. E foram quatro ao todo: um cônsul japonês, o embaixador americano, o alemão e o suíço, Giovanni Bucher.

Bucher foi libertado quatro dias antes da prisão dos meus pais. Tinha sido sequestrado no dia 7 de dezembro de 1970 pela VPR a caminho da embaixada no Rio, e levado para Rocha Miranda, subúrbio carioca. A organização que o sequestrou exigiu setenta presos políticos em troca. O governo não cedeu. O impasse durou até o dia 16 de janeiro. A lista inicial foi recusada. Chegaram até a decidir pela eliminação de Bucher. Lamarca impediu a execução e aceitou trocar nomes. Meu pai sabia desse sequestro. Meu pai sabia intimidades desse sequestro? Quando noticiavam pela TV a demora e o sofrimento que o diplomata devia estar passando nas mãos de terroristas, ele debochava:

— Tá nada, está se divertindo adoidado, fumando seus charutos.

Minha mãe reparou: foi a primeira e única vez que meu pai falou de algo que ocorria nas entranhas da luta armada. Foi a primeira e única vez que deixou escapar uma observação que comprometia a sua segurança e a nossa. Será que ele foi preso por causa disso? Comentou com outros que o grandalhão Bucher fumava charutos e jogava cartas no cativeiro? Tinha microfones em casa, espiões nos bares, no escritório dele? Comentou num balcão de bar:

— Tá nada, está se divertindo adoidado, fumando seus charutos.

Num táxi, depois de ouvirem a notícia pelo rádio:

— Tá nada, está se divertindo adoidado, fumando seus charutos, contando piadas, trocando receitas com os guerrilheiros.

No Rio de Janeiro, "todos" fofocavam. Gozavam. Todos se conheciam. Todos sabiam detalhes. Todos daquela faixa de areia.

Minha mãe, na prisão, fez um exercício de memória para tentar entender ou encontrar alguma pista de por que foram detidos. Ele poderia ter dito de brincadeira, piadista que era, gozador. Prenderam um gozador?

— Desculpe, foi uma piada.

Depois se soube que, de fato, o embaixador fumava charutos, jogava baralho, discutia política, criticava a ditadura e os generais. Liberado, trocado pelos presos que partiram pro Chile, Bucher não reconheceu a foto de nenhum de seus captores. Nem de Lamarca, nem do estudante Alfredo Sirkis, seu intérprete.

O DOI carioca tinha uma estrutura calculada militarmente:

1. Comando: Exercido por um tenente-coronel ou major. Na prisão dos meus pais, era o major Belham (José Antonio de Nogueira) quem comandava.

2. Seção de Administração: Responsável pelo apoio logístico às operações, como armas, transporte e comunicação, e de manter no depósito os bens dos presos.

3. Seção de Operações: Com grupamentos de buscas que operavam em revezamento de vinte e quatro horas de trabalho por quarenta e oito de descanso. Cada equipe tinha até vinte pessoas. Neutralizavam aparelhos, vigiavam pontos e apreendiam material "subversivo". A da Aeronáutica (CISA) invadiu a nossa casa, levou meu pai e nos manteve presos. E depois o transferiu para o DOI. A do Exército (CIE) levou minha mãe e minha irmã direto ao DOI.

4. Seção de Informações e Análises: Fornecia ao comando estudo sobre as organizações clandestinas, a rede de apoio e organogramas de comando. Era dividida em duas subseções:

4.1. Subseção de Análise: Composta de oficiais do Exército e da Marinha, que analisavam os depoimentos dos torturados e o material apreendido e mantinham arquivos com fotos, nomes, codinomes, ações e atuação na organização.

4.2. Subseção de Interrogatório: O coração do DOI, interrogadores e torturadores, composto por policiais civis, oficiais, bombeiros, cabos e soldados, chamados de "catarinas", pois a maioria vinha do Sul do Brasil.

No DOI carioca, a tortura era no prédio do PIC, em três salas. Rolavam três interrogatórios simultâneos. Uma era roxa, denominada "sala do ponto". Era equipada com o mais sofisticado material de tortura. Era para tirar com pressa as informações dos presos, onde é o ponto, onde fica o aparelho, antes que seus companheiros soubessem da prisão. Os presos iam vendados das celas para os interrogatórios. Havia pequenas celas, as solitárias, em que presos torturados eram jogados e aguardavam. Às vezes, o preso era deixado moribundo no corredor mesmo.

Subimos a serra de Petrópolis pela BR-040. A entrada para Nova Friburgo ficou para trás. Cruzamos Petrópolis à direita. Fomos em frente. Antes da estrada para Teresópolis, entramos à esquerda. Araras era o destino. Depois de Petrópolis. Eu nunca tinha estado em Araras. Não conhecia ninguém em Araras.

Saímos do asfalto e subimos por uma estrada de terra lamacenta, que cruzava uma floresta de eucaliptos. Depois, uma mata original densa. Nenhum vestígio de civilização. Chegamos enfim num sítio à esquerda, no pé de um morro, lugar isolado, que pela minha experiência de neto de fazendeiro não foi nem era fazenda, não se viam pastos, cocheiras, plantações nem terreno em que secariam grãos. Nem gado, nem cavalo. Era um sítio de veraneio. Apesar de isolado, era bem equipado: com uma incrível piscina com trampolim, água limpa e uma quadra de tênis sem uso, rodeada por uma mureta de pedra sobre pedra, encaixadas. Alguma família amiga dos meus pais devia passar os fins de semana ou as férias ali.

Aparecem o jardineiro e a esposa, os caseiros. Não sei se me esperavam. O motorista falava com eles, enquanto fui recepcionado por um cachorro dócil, de raça desconhecida, que grudou em mim desde o primeiro dia. O motorista se despediu. O casal me mostrou as dependências. Casa térrea. Muitos quartos, arquitetura impecável. Me instalaram num quarto com um armário cheio de brinquedos. Nele, uma bola e uma espingarda de chumbo, com munição. Fiz uma inspeção na sala. Uma TV velha que não pegava. Móveis de madeira e couro, eu diria velhos. Nenhum luxo. Mas deviam ser móveis de designers premiadíssimos, que eu não reconhecia o valor. Estantes com muitos livros, para todas as idades. Estava na cara que era de amigos dos meus pais. Seguia o mesmo padrão da nossa família: desprezo por TV, prioridade aos livros, nada de luxo, móveis de couro e madeira, nada de porta-retratos, uma medida de segurança que a esquerda brasileira adotou sábia e espontaneamente durante a ditadura, e desprezo pela forma física, o que se notava pelo estado precário da quadra de tênis. Eu não tinha ideia de quem era o dono daquela casa. Saquei que era de uma família que tinha filhos ou sobrinhos ou netos da minha idade. Até as roupas deles me serviam. E minha companhia foi o casal de caseiros, o cachorro, a bola, a natureza, a piscina e a espingarda de chumbo. Com angústia e a solidão. Angústia que eu nunca tinha sentido antes, que, como em Prometeu, espalha-se pela região do estômago, toma posse de um órgão que raramente nos damos conta de que existe. Ficar sem pai nem mãe de um dia para o outro, tê-los presos num país em que, eu já desconfiava, tudo mudava de uma hora para outra, apesar da certeza de que não eram bandidos, e portanto logo estariam fora da cadeia, e que o mal-entendido seria esclarecido, tudo isso me amedrontava.

Na manhã seguinte, café da manhã, algumas palavras trocadas com o caseiro, que me ensinou a usar a espingarda. Depois, a magnífica piscina e, claro, me bronzear no trampolim. Ler. Olhar o céu. O morro ao lado com eucaliptos. Mergulhar. Olhar o céu. Ler.

Xeretar a casa era um programão. A bola, chutada contra o portão da garagem, não tinha descanso. Almoçar, lanchar e jantar, obrigações. Banho e dormir. Para ser atacado de novo no fígado pela grande águia.

No dia seguinte, o mesmo.

Sem apetite. Caseira ao meu lado.

— Come um pouco.

À noite, tentei dormir, mas tive um ataque de bronquite. Abri a janela e fiquei olhando para fora. Respirando, respirando.

O casal não me proibia nada. Enjoado da minha rotina, me dediquei à espingarda de chumbo. Senti uma atração especial em atirar em calangos, que corriam pra lá e pra cá na mureta da quadra de tênis. Minha mira era péssima. Não acertei um calango no primeiro dia em que, como um fuzileiro, explorei a parte de baixo do sítio, ou melhor, fuzilei.

Não acertei um calango no segundo dia.

Não acertei um calango no terceiro dia.

Eram rápidos. Fugiam das aves, de mim, num cacete... Mirava a cabecinha, eles passavam, eu não acertava nem a cauda. E não era problema da arma, que tinha um tiro firme, certeiro, nem da munição, que voava e, pá, atingia até arrancar pequenas lascas das pedras da quadra. Eram rabudos aqueles calangos. Cagões, como se diz no Rio. Abençoados. Deixei-os em paz e priorizei a piscina. Deu sol todos os dias. Sol de montanha, aquele céu azul sem névoa. O caseiro me emprestou um radinho e entrou música na minha solidão.

Na Tijuca, num corredor escuro, naquele mesmo momento, minha mãe, sozinha numa cela com apenas cama e colchão, a última cela do corredor, sentada, olhando para o nada, abatida e já quilos mais magra, vê o soldado encostar um prato de comida na grade. Ela nem se mexe. O soldado diz:

— A senhora tem de comer alguma coisa.

Ela nem responde.

A filha tinha sido solta no dia seguinte à prisão. Ela mofava naquela cela havia dias. Nenhuma notícia do marido. Nem dos outros filhos. Nenhuma notícia do mundo. Nos primeiros dias, chamavam-na para depor e olhar álbuns de fotos. Conhece este, conhece aquele? Nada. Não conhecia ninguém. E, se conhecia, não dizia. Ou não reconhecia presos assustados, destroçados pela tortura. Reconheceu a sua foto, a da filha e a do marido. Ouviu gritos de tortura na volta para a cela, para a solidão, a aflição, o vazio e a falta de apetite.

Mas apenas nos primeiros dias a chamavam. Depois se esqueceram dela. Deixaram-na para trás, para o fundão, para o isolamento sem sol, sem visitas, sem notícias, sem sentido. Aguentou firme. Não reclamou. Aguentou quieta. Aguentou. O mesmo soldado de antes, num dia, de surpresa, deixou um chocolate no beiral da cela. Não disse nada. Deixou e saiu às pressas. Este, ela comeu com gosto. Num outro dia, também de surpresa, ela acordou e lá estava ele, o soldado, encostado na cela. Parecia atordoado. Infeliz. Como se quisesse dizer algo. Como se fosse explodir. Assustado. Olhava indignado para a minha mãe. Então ele disse as únicas palavras que faziam algum sentido:

— Olha, queria que a senhora soubesse que eu não concordo. Só estou cumprindo ordens. Eu não concordo com isso. Isso vai acabar. Um dia, vai acabar. O que estão fazendo aqui não está certo. E quando acabar, e nos reencontrarmos um dia, em outras condições, espero que a senhora conte a todos que eu não concordava, que só cumpria ordens e que torcia para isso acabar logo.

O desabafo trouxe um alívio instantâneo. Como se um raio do sol atingisse seu rosto, por uma fresta milagrosa da masmorra. O soldado fez um bem incrível a ela. Mostrou que o mundo não estava do avesso para sempre. Que o que ela vivia, sim, não fazia o menor sentido. Que existiam pessoas de dentro que não concordavam. Que nem toda a estrutura estava a serviço da loucura. Tinha humanidade naquele terror. Havia aliados da sanidade. E ela nunca mais se esqueceu dessa testemunha anônima do caos. Repetia para nós sempre a mesma história, em detalhes, com as mesmas palavras. Foi das poucas coisas que fez questão que sua memória registrasse naquele fim de janeiro de 1971. Do resto, se esqueceu de muito, ou não quis falar, ou não quis relembrar.

Na Serra Fluminense, era comum eu ter ataques de bronquite. Mofo, poeira, umidade. Naquele sítio, não seria diferente. Da janela do quarto, eu via a piscina, o extenso gramado, o morro com eucaliptos à direita, a quadra de tênis à esquerda. Era sempre à noite que os ataques apareciam. Quando criança, minha mãe me fazia companhia: inspira, solta, inspira, solta, inspira, solta, inspira, solta... Depois, uma bombinha de bronquite me acompanhou grande parte da vida, inseparável. Ficava ao lado da cama. Inspira, solta todo o ar, até o limite, dá duas baforadas e respira forte o ar metálico, milagroso, de efeito rápido como um tiro de cocaína, mas que não cura, alivia a falta de ar e o bloqueio dos brônquios momentaneamente. Só que eu estava sem a minha bombinha.

Numa manhã de sol, eu estava na piscina quando chegou um carro com um cara da minha geração: Joca! Meu chegado. Gente fina. Veio ver se estava tudo bem. Veio me fazer companhia. Joca Bocayuva. Dos lendários Bocayuva (um proclamou a República, e só não virou presidente porque os militares não deixaram). Seu tio, Baby Bocayuva, ex-deputado do PTB, foi cassado com meu pai e exilado na mesma embaixada. Descobri: foi o pai de Joca, Guingo Bocayuva, quem planejou me esconder naquele sítio. Eu estava em família, na casa da Vera Mindlin e do Henrique Mindlin, grande arquiteto, irmão do José Mindlin, de São Paulo. Eu estava numa casa que era modelo de arquitetura modernista.

Ele não trazia boas notícias e estava com um motorista que foi embora em seguida. Contou logo que meus pais ainda estavam presos, mas que Eliana, minha irmã, fora solta. Presos ainda. Já fazia dias. Mas, complementou, está tudo bem, está todo mundo apoiando, saiu até nos jornais, tem advogados trabalhando, é normal, logo, logo eles estão em casa, vamos encarar isso como umas férias fora dos planos. À tarde, apareceram umas garotas conhecidas da minha irmã Nalu (que estava escondida ao lado, em Petrópolis, na casa do Marcílio Marques Moreira). Garotas lindas. Ponham os maiôs, está um sol de rachar. Passamos a tarde na piscina: a visão irreprimível de beleza, luz e cor, em contraste com a sombra que o futuro ameaçava, como um pequeno trecho sem nuvens numa montanha de onde se vê ao longe o clima cagado, trovões, vento e tempestades. Adolescentes cariocas no começo da década de 70. Que trocavam a infantilização de brincadeiras com a água, olha a bomba!, por olhares, risadas, encanto, pele, arrepios, cabelos, pelos, brilho, frases soltas, frases bobas, risadas bobas. Eram momentos de pura contemplação, ao som de um radinho de pilha que tocava os sucessos do programa do Big Boy da rádio Mundial-al-al...

Doze dias sem ver a luz do sol, sem notícias da família e do mundo, jogada numa cela no fundo do DOI sem nenhuma explicação. Abrem a cela. Mais um depoimento. Mais uma folheada no álbum de fotos de subversivos. Não. Surpresa: decidiram liberá-la.

Não precisou assinar nada. Cruzou o corredor, saiu pela porta lateral do prédio. Cruzou um pátio com carros estacionados, onde surpreendentemente viu o seu Opel Kadet vermelho, o Opel que meu pai dirigiu quando foi preso. Se o Opel estava lá, ele estava lá! Estavam esse tempo todo no mesmo prédio. Cruzou o portão duplo de ferro, pintado de verde. Em frente, uma praça. Com um ponto de táxi.

Minha irmã Eliana apareceu no sítio com o próprio Guingo para me buscar. Estava alegre. Deu a boa notícia. Mamãe foi solta. Está em casa, te esperando. Nada do papai. De repente, senti como se a vida voltasse ao normal. Mamãe foi solta? Mamãe foi solta! Uma alegria que poucas vezes senti na vida. Recompondo os pedaços. O alívio da normalidade. Me leva daqui. Me leva já. Me leva embora.

Descemos a serra. No caminho ela contou que foi interrogada umas três vezes, que faziam perguntas sobre suas convicções, sobre quem frequentava a nossa casa.

2 de fevereiro, dia de Iemanjá. Fui recebido em casa com festa pelas irmãs e a empregada, Maria José. Subi a escada correndo e encontrei a minha mãe deitada no seu quarto, exausta. Abracei ela como nunca. Ela fez carinhos em mim, me acalmava, quando comecei a sentir falta de ar. Era um ataque de bronquite violento, bem mais forte que os outros. O quarto estava à meia-luz; ela manteve a janela fechada. Estava com uma roupa confortável cor de vinho. Era ela, a minha mãe, a minha amada mãe. Que não chorou. Apenas me acalmou, enquanto eu tentava respirar e meus brônquios não ajudavam. Depois dos habituais exercícios de inspirar e expirar, me acalmei. Eu que deveria cuidar dela, eu que estava sendo cuidado por ela. Adormeci ao seu lado. Senti paz. Senti proteção: eu, então, o único homem da casa.

Nos doze dias em que ficou presa, passou sete com a mesma roupa no corpo, sem banho, pente, escova de dente, toalha, sabonete, nada. Incomunicável. Sem sol. Foi interrogada muitas vezes. Às vezes, no meio da noite, acordavam-na para perguntar quem frequentava a nossa casa. Mostravam fotos. Soube pelos interrogatórios que duas presas vindas do Chile traziam cartas para o meu pai. Que cartas? Que presas? Do que você está falando? Cartas comprometedoras, diziam os interrogadores. Diziam que ele também estava preso, no andar de cima, que estava sendo interrogado, negava tudo, mas ia acabar se abrindo. Tudo o quê? Finalmente, minha mãe identificou a foto da professora das minhas irmãs, Cecília, no álbum de presos. Mas não disse nada.

Fora da cadeia, soube da farsa montada: diziam que meu pai tinha fugido. Como? Tinham dito que ele estava lá, sendo interrogado. Foi manchete dos telejornais do dia 22 de janeiro, sem citar o nome completo dele. Saíram mais detalhes nos jornais do dia 23. Falavam de um Rubens Seixas. Algumas manchetes em maiúscula:

O Globo: "TERROR LIBERTA SUBVERSIVO DE UM CARRO DOS FEDERAIS".

Jornal do Brasil: "Terroristas metralham automóvel da polícia e resgatam subversivo".

O Jornal: "TERROR METRALHA CARRO LIBERTANDO PRISIONEIRO".

O Dia: "BANDIDOS ASSALTAM CARRO E SEQUESTRAM PRESO".

Tribuna da Imprensa: "Terror resgatou preso em operação-comando".

A notícia era idêntica, cada jornal a adaptou ao seu estilo. *O Globo* tinha a foto de um carro incendiado na capa. Omitia o sobrenome do prisioneiro foragido. Dizia que se tratava de "um político cassado", e que fora "capturado há dois ou três dias em sua residência, na Zona Sul". "Os agentes refugiaram-se por trás do carro em chamas, mas nada puderam fazer para impedir a fuga de Rubens Seixas. O bando fugiu em direção à Barra da Tijuca." Segundo "relato dos agentes empenhados na batalha", era "possível que algum dos subversivos tenha sido atingido pelos tiros".

No dia 25 de janeiro, o jornal *Tribuna da Imprensa*, do amigo do meu pai, Hélio Fernandes, publicou o nome verdadeiro, completo. Noticiou que o "Terror" havia resgatado "o subversivo Rubens Beyrodt de Paiva" na avenida Edson Passos, "imediações da Usina". Era a senha para os amigos. Rubens foi *internado*. Usou a linguagem que satisfazia o regime, era aprovada pelo censor, que passava o dia na redação. E passou o recado. Esse cara de quem estão falando é o Rubens. Estão falando que ele fugiu dois dias depois de ser preso.

Aí tem...

Minha mãe estranhou. Mas os jornais divulgaram o nome do "terrorista" Rubens Seixas, que é o nome que apareceu no boletim de ocorrência. A confusão alimentou a esperança de que talvez não tivesse sido ele. Ou, se fosse verdade, ele fugira, fora resgatado por "bandidos do terror". Então Rubens logo mandaria notícias? Ela soube também que, no dia 25 de janeiro, enquanto estava presa, o advogado Lino Machado impetrou habeas corpus, responsabilizando o comandante do I Exército, Syseno Sarmento, pela prisão.

Ela contou a todos que viu seu carro, o Opel, no pátio do DOI-Codi. No dia 4 de fevereiro, minha tia Renée, irmã mais velha do meu pai, foi até o quartel buscar o carro. Não só o devolveram, como deram um recibo com o timbre PRIMEIRO EXÉRCITO — DOI. Ela levava roupas e medicamentos para o meu pai. Surpreendentemente, a informaram que ele não estava detido naquela unidade.

Em 4 de fevereiro saiu no *Estadão* que Eunice fora solta dois dias antes e que durante os doze dias em que estivera presa não conseguiu nenhuma informação sobre o paradeiro do seu marido:

> Assim que é solta, Eunice entrega uma procuração ao advogado Lino, para que cuide do caso. Ela não dá declarações sobre os doze dias presa, apenas afirma que não conseguiu saber de Rubens. Na entrevista, Eunice diz que apenas "quer ter o marido de volta" e que os cinco filhos ficam perguntando pelo pai. "Sinto-me como um pássaro que regressa ao ninho. Minha mãe veio de São Paulo para assumir a direção da casa. As crianças acharam-me diferente, mais magra, mas não fizeram perguntas." Na entrevista ela ainda afirma: "Fui solta, mas, evidentemente, falta uma peça na minha família. Há uma angústia profunda em Marcelo e Beatriz, os filhos mais novos. Ambos são muito ligados ao pai, que tem o hábito de colocar apelidos. Marcelo, por exemplo, é chamado de Cacareco. Tenho confiança em que tudo se resolva bem".

No dia 17 de fevereiro saiu em alguns jornais: Eunice entregou ao deputado Oscar Pedroso Horta uma carta endereçada ao ministro da Justiça para que ele, no papel de presidente do Conselho de Defesa dos Direitos da Pessoa Humana, saiba da prisão do marido. Na carta, ela relata que foi presa com a filha de quinze anos, Eliana.

Era o começo da luta. Uma das.

Ou, ou, ou, ou, ou...

Nunca me esqueço da primeira foto que fizeram depois do desaparecimento do meu pai.

Era março de 1971.

Era para a revista *Manchete*, símbolo do Brasil Grande, a revista das celebridades e notícias felizes, de Pelé na capa, de Roberto Carlos, Ronnie Von, o Príncipe, "Meu bem...". De reis e rainhas, que, como grande parte da imprensa, grande parte da população, encantava-se com o Milagre Brasileiro e curtia a ressaca do choque de Jacqueline Kennedy ter virado Onassis.

Como cantavam nos anúncios oficiais, depois do tricampeonato no México: "Esse é um país que vai pra frente. Ou, ou, ou, ou, ou. De uma gente amiga e tão contente. Ou, ou, ou, ou, ou...".

Ou...

A imagem do Brasil no exterior começava a ficar arranhada com depoimentos de exilados que contavam dos horrores da tortura. Autoridades brasileiras eram questionadas e negavam tudo. Zuzu Angel, estilista mais famosa do Brasil, fez um desfile em Nova York com estampas em que havia denúncias contra a tortura e o desaparecimento de seu filho, Stuart Jones, de dupla nacionalidade. Mobilizou artistas de Hollywood. O Senado americano fez um *hearing* com o diretor da CIA, Richard Helms, que desconversou. Não confirmou nem negou que o governo brasileiro torturava seus inimigos e em casos extremos desaparecia com os corpos.

Elio Gaspari conta que, desde agosto de 1970, a embaixada americana em Brasília mentia para o Departamento de Estado americano. Informava que a tortura estava sendo substituída por métodos "mais humanitários" de interrogatório. O consulado americano mantinha um pesquisador-visitante no DOI-Codi carioca. Ao Senado americano, o chefe de Segurança Pública do programa de ajuda ao Brasil disse que não sabia o que era o Codi.

Médici visitou Washington em 1971 e foi brindado por Nixon com a frase: "Para onde for o Brasil, também irá o resto do continente latino-americano". Discutiram a derrubada de Allende, do Chile, que rolou em 1973. Médici se ofereceu para ajudar a derrubar Fidel Castro. Pretensão.

Minha mãe passou aquele verão de 1971 dando entrevistas a correspondentes estrangeiros que moravam no Rio, cidade que sediava as sucursais latino-americanas das grandes agências de notícia, revistas e jornais do mundo todo. Muitos desses jornalistas tinham estado com meu pai, um informante que passava relatos de violações dos direitos humanos da ditadura. Talvez por isso a prisão dele tenha sido notícia no *The Times*, *The Guardian*, *The New York Times*, *Newsweek*. Mulher de ex-deputado federal perseguido pelo regime relata desaparecimento do marido, saiu no NYT:

> Last January, a Brazilian civil engineer was arrested in his home by Government security agents and disappeared. He

has not being heard from since. But, his case exploded in noisy publicity today. There have been at least two other cases of Brazilians who, according to their relatives, have disappeared after being arrested by security forces...

Era uma surpresa que um órgão da imprensa no Brasil como a *Manchete*, a revista que mais vendia no país, se interessasse em noticiar o desaparecimento de um dos subversivos mais simpáticos e risonhos que Callado conheceu. Em 1971, não se sabia mais quem estava do lado de quem. Mandou um fotógrafo lá em casa. Queria todos os filhos na foto. Na porta de entrada do sobrado do Leblon. Na mesma porta pela qual meu pai foi levado para a tortura e a morte semanas antes. A mesma pela qual minha mãe foi levada no dia seguinte com a minha irmã Eliana. Nela, nos apertávamos para caber. Não sei de quem foi a ideia de nos fotografar sob o batente da porta principal. O mar do Leblon estaria ao fundo, se ele tivesse erguido um pouco mais a câmera. Mas a pauta da prisão não combinaria com uma das vistas mais lindas, a da praia, do intrincado e sedutor arquipélago das Cagarras e a do morro Dois Irmãos abençoando uma das cidades mais lindas do mundo.

Vesti minha calça mais chique. Estávamos todos chiques, com roupa de domingo. Sorríamos. Não parávamos de sorrir. A ironia era imensa: apareceríamos justamente na mais bonita e glamorosa de todas as revistas. Nossa entrada de bico no colorido universo das celebridades que admirávamos, que não paravam de sorrir, que eram felizes e bem-sucedidas.

Nos empurrávamos e ríamos. Minha mãe de cabelo armado. Passara laquê para aquela foto, certamente. Tinha colares. Magérrima e ainda queimada do sol de

Búzios. Nós cinco, da mais nova, Babiu, dez anos, à mais velha, Veroca, dezesseis. Queimados, verão, incrédulos. Babiu gargalhava. Saiu na foto de olhos fechados. Só Veroca não sorria. Veroca sabia de mais coisas do que nós. Veroca estava com exilados em Londres quando invadiram a nossa casa e nos prenderam. Veroca leu no *Times* sobre a prisão do próprio pai. A professora da escola em que estudava a informou: falam aqui da prisão de um ex-deputado do seu país. Era seu pai. Minha mãe temia que a prendessem no aeroporto na volta. Veroca teve que perambular por um tempo pela Europa. Esteve com os exilados em Paris. Contaram-lhe dos bastidores, dos horrores da tortura. Ela sabia o que acontecia nos porões. Sabia mais do que nós, no Brasil, que cantávamos "Esse é um país que vai pra frente, de uma gente amiga e tão contente, ou, ou, ou, ou, ou...". Voltou em tempo de tirar a foto para a *Manchete*. Sem sorrir. Não como minha mãe, que sorriu depois de ficar doze dias no DOI-Codi, testemunha do bastidor e do horror, mas ainda sem certezas, na luta, queixo erguido, juntando informações desencontradas de um quebra-cabeça que nunca concluiu. Sem saber do fim da história. Sem saber do fardo que carregaríamos.

O fotógrafo reclamava: fiquem mais sérios, mais tristes, mais infelizes. Não conseguimos. Ou não queríamos. A irreverência sempre nos inspirou. Observo a foto hoje e vejo nos olhos da minha mãe: quem você pensa que é, para nos fazer infelizes? Nos indignamos. Não é a imprensa que nos pauta, nós a pautamos. Ou, ou, ou, ou, ou...

Foi a única foto da família que saiu na imprensa naquela época. Foi única foto da família que saiu na imprensa em muitos anos. Logo depois, a censura apertou, ficou mais profissional, mais rigorosa, quase não passava nada, e entramos para a lista negra.

Durante anos, no Brasil, o nome da minha família foi riscado do mapa.

Durante anos, no Brasil, a minha família foi evitada.

Durante anos, alguns brasileiros, conhecidos e amigos, nos evitaram. Até parentes.

Nos temiam. Temiam ser associados a nós.

E recebemos solidariedade de pessoas que não esperávamos. De professores, amigos que não sabíamos que tínhamos, jornalistas, advogados, empresários que poderiam arriscar a reputação ou perder contratos e concorrências, gente que apoiou o golpe e se arrependeu, organizações que não concordavam com os rumos, até da Igreja. Aliás, especialmente da Igreja católica apostólica romana, que anos depois agregou sua insatisfação para protestar pelo fim do regime.

É uma foto que reflete o absurdo do seu tempo. Uma mulher, com cinco filhos adolescentes, perguntando pelo marido, que as autoridades afirmavam ter fugido numa diligência. Um fotógrafo procurando a essência da pauta. A porta que viu saírem militares de metralhadoras com um casal e a filha. Viu a dor e a morte passar.

Meu pai entrou no DOI-Codi em 20 de janeiro de 1971, morreu na noite do dia 21 de janeiro, foi levado na madrugada do dia 22, esquartejado, enquanto minha mãe e irmã eram interrogadas em separado. Testemunhas de lá de dentro nos dizem que ele foi enterrado na restinga de Marambaia, sob a areia de quarenta e dois quilômetros de praia que pertence à Marinha do Brasil, base paradisíaca de oitenta e um quilômetros quadrados e acesso restrito, hoje Centro de Adestramento da Ilha da Marambaia dos Fuzileiros Navais.

O labirinto de contrassensos que minha mãe começou a percorrer era longo.

Depois da impetração do habeas corpus em 25 de janeiro, o Comando do 1 Exército instaurou uma sindicância para apurar "os fatos narrados na parte, a fim de que sejam eles devidamente esclarecidos". Foi assinada pelo próprio general Syseno Sarmento, comandante do 1 Exército, conhecido como "o feíssimo". Está dirigida ao major Ney Mendes, que, assim como o capitão Raymundo Ronaldo Campos, trabalhava na Seção de Operações do DOI. Chefiavam as equipes de busca. Alguns nomes de envolvidos começaram a aparecer.

Em 11 de fevereiro de 1971, foi encerrada a sindicância instaurada dentro do DOI. O major Ney Mendes reproduziu os termos de Raymundo Ronaldo Campos e concluiu:

> Pelas diligências e investigações por mim procedidas, constatei a veracidade das afirmativas dos agentes de segurança, corroboradas com o laudo de exame pericial procedido no local e na viatura incendiada, perícia esta do 1º BPE. Verifica-se, pois, que os agentes de segurança não praticaram qualquer ato que merecesse reprovação. Pelo contrário, usaram de todos os recursos legais de que dispunham para evitar a consumação do evento, por parte dos elementos desconhecidos, possivelmente terroristas. Não houve em qualquer hipótese algum indício de responsabilidade a apurar-se por parte dos agentes de segurança. Pelo contrário, demonstraram iniciativa, coragem e um elevado grau de instrução em face da surpresa e superioridade dos elementos desconhecidos. Na refrega, houve a evasão do sr. Rubens Beyrodt Paiva para local ignorado, não sabendo as autoridades de segurança o seu paradeiro, de vez que

a preocupação dos referidos agentes era de se defender e também o seu acompanhante, cujas consequências foram a queima do carro e a interrupção das diligências que estavam se processando [...]

Em face do acima exposto e das provas periciais constantes da presente, conclui-se não ter havido qualquer responsabilidade ou indício de existência de infração penal a apurar-se por parte dos agentes de segurança, eis que, quanto ao sr. Rubens, ainda estão sendo tomadas providências pelos órgãos competentes. Razão por que opino pelo arquivamento desta Sindicância.

Nas semanas seguintes, a mesma versão da fuga do meu pai com as mesmas palavras foi reproduzida e repercutida nos comandos do Exército e da Aeronáutica, na Procuradoria Geral da Justiça Militar, no Superior Tribunal Militar, até no Conselho de Defesa dos Direitos da Pessoa Humana e na Câmara dos Deputados. O deputado Nina Ribeiro, vice-líder governista, leu na tribuna: "O capitão Raymundo Ronaldo Campos, primeiro-sargento Jurandyr Ochsendorf e Souza e terceiro-sargento Jacy Ochsendorf e Souza, todas testemunhas, foram acordes em afirmar que, às quatro horas do dia 22 de janeiro de 1971, levaram o preso".

Aos poucos, entregavam os nomes, os personagens oficiais que participaram da prisão. Era um Estado que não temia ninguém.

Notícias mesmo saíam fora do Brasil e começaram a incomodar o regime, parceiro dos americanos, que sempre negou a existência de tortura. O senador Ted Kennedy fez um discurso duro no Senado americano. Jornais americanos e europeus cobravam uma resposta ao apoio de seus governos a regimes que cometiam violações aos direitos humanos na América Latina. Os militares brasileiros também endureceram verbalmente. O chefe do Estado Maior do I Exército, general de brigada Carlos Alberto Cabral Ribeiro, soltou o ofício:

> O paciente não se encontra preso por ordem nem à disposição de qualquer organização militar deste Exército. Esclareço, outrossim, que, segundo informações de que dispõe este Comando, o citado paciente quando era conduzido por agentes de segurança, para ser inquirido sobre fatos que denunciam atividades subversivas, teve seu veículo interceptado, empreendendo fuga para local ignorado, o que está sendo objeto de apuração por parte deste Exército.

Todas as esferas usaram o jargão "paciente", não "detido" ou "preso". Ou os torturadores se apropriaram do jargão das esferas superiores? O general Sylvio Frota reiterou ao STM:

> O paciente não se encontra preso por ordem nem à disposição de qualquer OM deste Exército. Esclareço, outrossim, que, segundo informações de que dispõe este Comando, o citado paciente quando era conduzido por agentes de segurança, para ser inquirido sobre fatos que denunciam atividades subversivas, teve seu veículo interceptado por elementos desconhecidos, possivelmente terroristas, empreendendo fuga para local ignorado, o que está sendo objeto de apuração por parte deste Exército.

Estavam todos afinados: Exército e Aeronáutica, que entregou o paciente ainda vivo e com condições de ser interrogado para o Exército. Em 23 de março de 1971, depois de o STM pedir informações ao brigadeiro João

Paulo Moreira Burnier, que prendeu meu pai e o levou para a 3ª Zona Aérea, ele mentiu descaradamente num ofício endereçado ao Tribunal Militar: "O sr. Rubens Beyrodt Paiva jamais esteve preso nesta Grande Unidade ou Unidades subordinadas a este Comando". O STM negou o habeas corpus.

Onde ele estava? Quem podia nos ajudar? Era o Brasil do AI-5. Mas tinha uma brecha: apesar de o ato ter suspendido a garantia de habeas corpus para crimes contra a segurança nacional, não excluiu o dever de comunicação da prisão nem autorizou a manutenção de suspeitos, por tempo indeterminado, em estabelecimentos oficiais ou clandestinos, sob a responsabilidade de agentes do Estado.

Minha mãe passou a frequentar Brasília. Na teoria, aquele regime tinha ainda um braço de civilidade, o Congresso, e organizações da sociedade civil. Houve denúncia na Comissão de Direitos Humanos da Câmara. Houve denúncia da Ordem dos Advogados do Brasil (OAB) e na Associação Brasileira de Imprensa (ABI). O ministro da Justiça, Alfredo Buzaid, surpreendeu e disse que meu pai logo seria solto. Um coronel pediu dinheiro para meu avô Paiva para acelerar a soltura. Oficiais diziam que ele estava preso em Fernando de Noronha. Numa base no Xingu. Tudo mentira. Todos sabiam que era mentira. O alto escalão do governo sabia que era mentira. Jornalistas sabiam que era mentira. Menos a minha mãe, que queria acreditar que ele estava vivo, que precisava acreditar, e conheceu senadores que não serviam para nada, deputados que não legislavam, um poder corroído pelo autoritarismo, corrompido até a alma, juízes que não julgavam, tribunais que mentiam, um poder de fachada, uma mentira para dar legitimidade a

uma ditadura e a milicos que mandavam e desmanda-
vam e metiam medo, lia uma imprensa vaga, sob censura ou, pior, condescendente, via uma TV que se omitia,
acovardava-se.

Cinco meses se passaram, e nada.

Callado testemunhou: minha mãe já esteve tranquila. Buzaid, o próprio ministro da Justiça, também de
Santos, também despachante aduaneiro, como meu avô
paterno, Jayme Paiva, colegas de ofício, garantira que
meu pai seria solto. Seu marido sofreu alguns arranhões,
dona Eunice, está se recuperando e será solto logo, logo.

Só no final de junho ela recebeu uma carta escrita
à mão da professora das minhas irmãs, Cecília, que reconheceu no álbum de fotografias do DOI. Ela estivera presa
com meu pai. E decidiu contar o que aconteceu. Só então
o quebra-cabeça começou a ser montado. E Poliana parou
de sonhar:

Rio de Janeiro, 30 de junho de 1971
D. Eunice. Tendo lido nos jornais notícias desencontradas
e mesmo alarmantes, imagino o sofrimento da senhora e
das meninas, minhas ex-alunas do Colégio Sion, quanto
ao paradeiro do dr. Rubens. Gostaria de minorar, de algum modo, a sua angústia, dando-lhe conhecimento do
que sei a respeito do seu marido.

No dia 20 de janeiro último, estando eu no quartel
da 3ª Zona Aérea próximo ao aeroporto Santos Dumont,
quartel onde permaneci por algumas horas, fui transporta-
da por elementos que usavam trajes esporte e que se diziam
das Forças Armadas, para o quartel da Polícia do Exército,
o DOI, que era mencionado pelos mesmos elementos como
"Aparelhão". Sentado, ao meu lado, no automóvel, estava
seu marido, o dr. Rubens Paiva.

Chegando no mencionado quartel, fomos desembarcados eu e seu marido.

A senhora deve compreender que ainda não me sinto em condições de descrever as horas angustiosas por que passei, mas posso garantir que, nesse mesmo dia, ouvi a voz do seu marido sendo interrogado. Ouvi perfeitamente quando ele declarava seu nome, estado civil, naturalidade etc. Ele estava ao meu lado, embora eu não pudesse vê-lo, de vez que tinha a cabeça coberta por um saco que me impedia a visão.

Na noite de 20 de janeiro a 21 no mesmo quartel várias vezes me foi perguntado meu nome, ocasiões essas em que ouvi as mesmas perguntas serem dirigidas ao seu marido, que as respondia. Lembro-me de que, algumas vezes, ele dizia Rubens Paiva, e lhe exigiam o nome completo: Rubens Beyrodt Paiva. Ainda na manhã do dia 21 ouvi o dr. Rubens pedindo água, e esta foi a última vez que ouvi a sua voz, pois na tarde desse mesmo dia fui transferida para outro local.

Esperando que esta notícia lhe traga algum consolo, faço votos de que brevemente esteja a família toda reunida e despeço-me com um abraço amigo para todos e especialmente para as minhas ex-alunas Vera, Eliana e Ana Lúcia.

Cecília Viveiros de Castro

Minha mãe não entendeu a relação dos dois. Só se conheciam de reuniões da escola.

Dias depois, a Procuradoria-Geral da Justiça Militar soltou um parecer sobre a prisão. Já usavam o termo "desaparecimento":

Embora se procurasse explorar o fato por todos os ângulos, inclusive na imprensa estrangeira, o que facilmente se depreende da leitura dos autos, finalmente, nada tem as Forças Armadas com esse desaparecimento ou mesmo sequestro. E é o importante para essa Justiça Especializada.

Em 28 de julho de 1971, ainda sobre o pedido de habeas corpus, o parecer foi reiterado pelo Procurador--Geral da Justiça Militar, Ruy de Lima Pessoa:

> O paciente não se encontra preso por ordem nem à disposição de qualquer OM deste Exército. Não se deve pôr em dúvida a palavra oficial, como pretende o Impetrante, tergiversando os fatos com base em noticiário jornalístico, onde interesses diversos sobrelevam-se encobrindo a realidade. Assim, não se encontrando o paciente preso e inexistindo autoridade coatora, não se deve tomar conhecimento do pedido, salvo melhor juízo.

Em 2 de agosto de 1971, o STM encerrou o assunto:

> Em face das informações da autoridade havida como coatora, de que o paciente já não se encontra preso, o tribunal, por unanimidade de votos, julgou prejudicado o pedido, sem prejuízo de apuração, na forma da lei, dos fatos objeto das diligências em curso no Comando do 1 Exército.

O ministro e comandante do 1 Exército, general Syseno Sarmento, nem apareceu na sessão. Um jornalista do lendário e independente *Jornal do Brasil*, Fritz Utzeri, dos poucos que não tinham medo, que continuaram em contato, em que confiávamos, confirmou para a minha mãe que meu pai não seria solto, que foi morto, e seu corpo, desovado. Que ouviu do próprio presidente do Brasil, general Médici, a frase "morreu em guerra".

Não sei a data exata em que ela descobriu a verdade. Foi quando parou de sorrir por muitos anos. Foi a gota d'água: não tínhamos mais nada o que fazer no Rio. Nos mudamos para Santos.

O sacrifício

No meio do ano de 1971, fomos morar na casa do meu avô Paiva, em Santos, no José Menino, Canal 1. Minha mãe montou um quarto com uma cama de viúva. Trancava-se todas as noites para acender velas e chorar. Nunca a vimos chorando. Trancava-se e preferia sofrer sozinha. À luz de velas. Queria nos preservar, me diria anos depois, repetidas vezes. Não o enterrara ainda. Ninguém o enterrava. Tinha esperança de acordar de um pesadelo, com a volta dele, esperava um milagre, que fosse tudo um jogo de cena da ditadura, e quem sabe ele ainda não estava preso, jogado e esquecido no fundo de uma cela, numa ilha, num hospício, e curavam suas feridas. O ministro garantira. Mas os generais diziam que ele não estava preso. Ela ouviu lá dentro que ele estava preso no andar de cima. Nos inquéritos, ele fugira. Tem oficial garantindo que ele está vivo. Tem jornalista alertando: está morto. Conversou com pitonisas, rezou, apelou. Enterrar seria desistir. A nós, nada dizia. Para nós, ele ainda estava vivo. Cada um dos filhos o enterrou à sua maneira, em épocas diferentes, silenciosamente. Depois de um, dois anos, dois anos e meio... O tempo era o seu atestado de óbito. A demora, a comprovação que faltava.

Aos poucos, minha mãe se desfez das roupas dele. Herdei ternos, camisas e gravatas. Eventualmente ela consultava alguém, para um apoio espiritual. E consultava uma amiga psicóloga carioca, sem marcar hora, como papo de amigas. Foi tudo o que fez pelo luto emocional. A praticidade era sua loucura, e logo se agarrou a ela. Praticidade que hoje não serve para nada.

Em 1974, nos mudamos para São Paulo, para perto do Paraíso, perto da primeira linha de metrô, que era inaugurada naquele ano pelo general Médici. Voltamos para São Paulo, para o marco zero, o ponto de partida.

Numa palestra que deu para duzentas pessoas em 1979, em Londrina, ela disse que ainda não tinha entrado com uma ação contra o governo, pois esperava as pessoas envolvidas no caso "perderem o medo de falar o que sabem".

— Não adianta a União dizer que ele fugiu da cadeia, porque ninguém vai acreditar nessa história.

Contou que nem Buzaid acreditava na fuga de Rubens, e que ele afirmou, ainda em 1971, numa reunião com a minha família paterna, um mês depois da prisão do meu pai, na casa dele em São Paulo, que meu pai estava preso no 1 Exército e machucado, mas que seria liberado em quinze dias. Buzaid garantiu que ela teria o marido de volta. Depois de pressionado pelos militares, Buzaid negou o que disse. Ela disse que Buzaid estava por fora de tudo. Ou mentiu descaradamente, deu injustificadas falsas esperanças, apertou a ferida da minha mãe.

Em 1985, ela disse numa palestra que ouviu de tudo, muitas versões e mentiras, mas que a única coisa que tinha certeza era de que Rubens estava morto, mas uma morte não oficial. Dizia sempre:

— A tática do desaparecimento político é a mais cruel de todas, pois a vítima permanece viva no dia a dia. Mata-se a vítima e condena-se toda a família a uma tortura psicológica eterna. Fazemos cara de fortes, dizemos que a vida continua, mas não podemos deixar de conviver com esse sentimento de injustiça.

Só recentemente, em 2014, o quebra-cabeça foi completado pelo Ministério Público Federal do Rio de Janeiro. Nos cinquenta anos do golpe militar, tivemos a conclusão da Comissão Nacional da Verdade, com a morte de dois militares envolvidos diretamente, cujos documentos escondidos em suas casas vieram a público, e testemunhas de pessoas de dentro do DOI, que começaram a falar. Foi quase completado. Está tudo na internet. Até no YouTube. É público. Falta o principal, o corpo.

Para os procuradores do MPFRJ, que passaram anos investigando e montaram um organograma completo e detalhado de todos os envolvidos, o motivo da prisão do meu pai começou com o desfecho do sequestro do embaixador suíço, Giovanni Bucher. Cecília Viveiros de Castro, já doente, deu um depoimento por escrito. Os procuradores juntaram com outros depoimentos de agentes, inclusive torturadores, que os prestaram pessoalmente, e construíram a seguinte narrativa:

> 13 de janeiro de 1970. Setenta presos políticos foram trocados pela libertação de Bucher e seguiram para o Chile, destino de muitos exilados brasileiros, dentre os quais Helena Bocayuva (filha do ex-líder do PTB na Câmara, Bocayuva Cunha), Luiz Rodolfo Viveiros de Castro e Jane Corona Viveiros de Castro. A mãe de Luiz, Cecília Viveiros de Castro, foi ao Chile visitá-lo e, ao retornar em companhia da irmã de Jane, Marilene Corona Franco, concordou em

portar consigo cartas e papéis com conteúdo político, endereçados a amigos e conhecidos do casal.

No dia 19 de janeiro de 1971, Cecília Viveiros de Castro e Marilene Corona Franco embarcaram com destino ao Rio de Janeiro. O voo em que estavam era o primeiro a retornar ao Brasil após o exílio dos presos trocados e por isso havia forte controle da repressão sobre a identidade dos passageiros e sobre seus pertences.

Declaração manuscrita de Cecília Viveiros de Castro, já falecida: "Depois de passar uma temporada com meu filho e minha nora, em Santiago, iniciei a viagem de volta no dia 19 de janeiro de 1971 pelo avião da Varig. Em minha companhia viajava Marilene Corona, irmã da minha nora. A viagem transcorreu normalmente. Durante os dias que passei em Santiago tive a oportunidade de encontrar numerosos brasileiros, amigos ou simples conhecidos de meu filho. Para alguns eu levava correspondências. Já tivera oportunidade de conhecer alguns parentes deles aqui no Rio. Outros eu conheci lá. Logicamente, quando se espalhou a notícia da minha volta ao Brasil, muitos retornaram pedindo-me que trouxesse cartas ou pequenas encomendas. [...] Como algumas manchetes pudessem criar problemas com autoridades brasileiras na revista da bagagem, a princípio recusei. Marta, porém, me pediu muito e convenceu-me dizendo que eu poderia trazer as cartas e recortes por baixo da roupa, e que assim não haveria problemas".

Não explica quem é Marta. O nome aparece solto no depoimento. Nome ou codinome.

Marilene Corona Franco relatou que não participara do movimento estudantil, mas sua irmã, Jane, que fez Medicina na UERJ, era do movimento. Foi presa no famoso e clandestino congresso da UNE em Ibiúna, em

1969. Casou-se com Luiz Rodolfo Viveiros de Castro, filho de dona Cecília. Luiz Rodolfo exilou-se no Chile em meados de 1970. Jane, no final de 1970, resolveu se juntar a ele.

Estava no Chile o cabo Anselmo, da VPR, e agente duplo, aliciado pelo delegado Fleury (chefe do Departamento de Ordem Política e Social, o DOPS). Que frequentava as reuniões dos exilados.

O avião aterrissou no aeroporto do Galeão pouco antes da meia-noite do dia 19. Tão logo foi concluída a aterrissagem, os pilotos conduziram a aeronave a uma área reservada, onde três homens à paisana retiraram Cecília e Marilene da aeronave e as levaram à base aérea adjacente ao aeroporto internacional.

A tortura de ambas — objeto de outra investigação — iniciou-se quando, após revista corporal, descobriu-se que tanto Cecília quanto Marilene ocultavam papéis com conteúdo político, remetidos por exilados. Nos papéis encontrados em poder de Marilene, havia a orientação de que um dos pacotes deveria ser entregue a "Rubens, que poderia ser contatado através de um determinado número de telefone". Marilene não conhecia previamente a identidade do destinatário, nem tampouco era militante de organizações de oposição ao regime. Marilene, então, foi forçada, mediante tortura cometida pessoalmente pelo comandante da 3ª Zona Aérea, coronel JOÃO PAULO MOREIRA BURNIER (já falecido), a telefonar para o número indicado no pacote que recebera e dizer a "Rubens" que as cartas do Chile haviam chegado. O oficial portava na ocasião um radiocomunicador e, assim que a mensagem foi transmitida por telefone, começou a gritar, falando: "Já cercou a casa do homem?", "Ele está em casa, podem invadir".

Verifica-se, assim, que, a partir do prenome e do número de telefone apreendido em poder de Marilene, militares da Aeronáutica comandados por BURNIER identificaram o destinatário das correspondências e o endereço onde Rubens Paiva residia com sua família.

De acordo com a testemunha Marilene Corona Franco, "o avião estacionou fora do local de desembarque e já na boca da escada havia pessoas em um jipe gritando o nome de 'Marilene e acompanhante', o que sugere que os agentes tinham prévio conhecimento de que era a declarante quem trazia consigo as cartas dos brasileiros exilados".

No mesmo sentido, escreveu Cecília Viveiros de Castro: "Continuando o meu relato, quando descemos do avião, eu e Marilene fomos levadas [...] por três homens em traje esporte que [...] diziam: 'Não é nada, não se preocupem, vocês nos acompanhem, é assunto de rotina'. Descemos diante de uma porta onde vi escrito: 'DAC — Polícia', e daí em diante não tive mais dúvida: estávamos presas. Esta primeira fase de nossas aventuras, ou desventuras, melhor dizendo, não foi das piores, se compararmos com o que veio depois".

A declarante [Marilene Corona Franco] e dona Cecília permaneceram no Galeão até a manhã do dia seguinte [20 de janeiro]. Ficaram sentadas em uma sala. Chegaram a ser ameaçadas de serem postas para caminhar em uma espécie de chapa quente no chão. Dona Cecília também foi obrigada a despir-se e sentiu-se mal e humilhada. [...] Após ser ameaçada por algumas mulheres fardadas, a declarante confessou que trazia consigo as cartas. O nome da declarante e de dona Cecília foi retirado da lista de passageiros, de modo que o esposo de Cecília acreditou que elas não tivessem embarcado.

De acordo com Cecília Viveiros de Castro, em seu depoimento manuscrito: "Com a entrada de um tal 'dr.

Alberto' de que eu tenho horror de me lembrar até agora, iniciou-se, para mim, uma sessão de humilhação que nem sei descrever. Fui tratada como uma pessoa sem moral, comparada a mulheres que ele citou e de que nunca ouvi falar [...]. O pior é que eu tentava responder quando ele me perguntava alguma coisa, mas ele não deixava, me interrompia, gritava, ofendia meu filho, dizia que se ele o pegasse de novo, eu ia ver o que ele faria. Garantiu que não somente eu ficaria presa, mas toda a minha família seria detida, pelo menos quarenta dias, inclusive minha filha de treze anos. Segundo este 'dr. Alberto', meu marido e eu perderíamos o emprego, nunca mais eu teria passaporte".

Segundo a testemunha Marilene Corona Franco, na manhã seguinte, um oficial fardado, mais velho, apareceu e perguntou para a declarante se ela conhecia Rubens Paiva. Nesse momento, dona Cecília não estava com a declarante.

Minutos mais tarde, a casa foi invadida por seis agentes do Centro de Informações de Segurança da Aeronáutica (Cisa), ainda não totalmente identificados, fortemente armados. Sem esboçar nenhuma resistência, a vítima foi escoltada ao comando da 3ª Zona Aérea, situado na avenida General Justo — Centro, conduzindo seu próprio veículo. Lá, no terceiro andar, Cecília e Marilene testemunharam o interrogatório e início das torturas infligidas ao ex-parlamentar.

De acordo com Marilene Corona Franco: "Logo depois, foi chamada e confrontada com Rubens Paiva, que não conhecia. Antes de ambos serem postos frente a frente, ouviu gritos e ameaças e uma voz dizendo 'Não sei de Jane nem de Luiz Rodolfo'. Lembra-se que Rubens Paiva era um homem gordo e naquela ocasião estava com o rosto muito vermelho, como se estivesse muito nervoso ou mesmo levado alguns tapas na face. Ele suava muito e dizia:

'Nunca vi essa mulher'. A declarante também afirmava nunca ter visto a vítima".

No final da tarde de 20 de janeiro de 1971, os três detidos foram transferidos ao quartel do 1º Batalhão de Polícia do Exército onde, desde o ano anterior, também funcionava o DOI do 1 Exército.

Cecília Viveiros de Castro narrou o que se passou da seguinte forma: "Enquanto estivemos neste prédio na Aeronáutica [...] ouvíamos gritos de um cidadão que estava sendo 'interrogado'. Era a primeira vez que constatava a existência dos horrores das torturas tão negadas pelos comunicados do governo. Não sabia o que ia me acontecer, e foi com indiferença de quem já não pode esperar nada de bom que fui levada para outro carro. Senti que os meus acompanhantes estavam aflitos por chegar a outro lugar e se consultavam sobre a procissão, se já tinha acabado etc. Fui colocada num carro e Marilene em outro. Ouvi as ordens a respeito de nossa bagagem que iria também para o mesmo lugar. Fizeram entrar no mesmo carro e sentar ao meu lado um homem grande, gordo, alourado, de olhos claros, suado e amarrado com as mãos atrás das costas que reconheci, espantada, ser o dr. Rubens Paiva, pai de três meninas, minhas alunas no Colégio Sion e companheiras das minhas filhas. Era ele que tinha estado apanhando. Ouvi as conversas em que o ameaçavam de mais 'ameixas' se não se mantivesse quieto. O dr. Rubens parecia sofrer muito e pedia para afrouxarem os nós que prendiam seus pulsos. Ouvi e ele também devia estar ouvindo as instruções dadas pelo rádio, do Tigre ao Elefante, Aranha etc. sobre como deviam agir na casa em que estavam 'uma senhora e quatro crianças na Delfim Moreira'; elas devem permanecer lá, o telefone está controlado; quem está dentro não sai, quem está fora pode entrar mas entra e é grampeado'. Isso foi repetido pelo menos umas três vezes até o outro animal (Elefante, Aranha etc.) gravar bem. Depois que tive quebrada a incomunicabilidade da minha prisão, entendi que o que ouvíamos se referia à casa e à família de Rubens Paiva".

Marilene Corona Franco acrescentou que: "Algum tempo depois, disseram para a depoente que ela iria para casa. Colocaram-na em um Fusca acompanhada de três agentes. Depois soube que Rubens Paiva estava em outro automóvel, jogado junto aos pés de dona Cecília. Ela ficou muito surpresa ao vê-lo, pois não tinha ideia de que ele havia sido preso, nem que ele tivesse qualquer envolvimento com a resistência política".

Segundo Cecília Viveiros de Castro, "quando chegamos ao chamado 'aparelhão' na Barão de Mesquita e o carro parou, colocaram uma toalha me cobrindo o rosto e o paletó na cabeça do dr. Rubens, e nos fizeram descer. Eu estava aterrorizada, já conhecia de fama o DOI das prisões de meu filho, e com dificuldades para respirar devido ao capuz preto que me colocaram. Não sei quanto tempo ali fiquei; sei que nesta mesma tarde fui fotografada e fichada e estivemos muito tempo em pé. Como não aguentasse ficar sem me apoiar na parede, acabaram me colocando numa cadeira. Eu ouvia os gritos do Rubens Paiva sendo interrogado e de vez em quando passava alguém e batia no meu ouvido ou puxava meu cabelo ou falava bem perto: 'Vá se preparando! Está ouvindo? Está chegando a sua vez...'. Parecia um pesadelo, os gritos: 'Eu não aguento mais'; 'Eu não sei de nada', 'Não façam isto' do torturado, e música de vitrola com o máximo de som e de vez em quando os xingamentos e expressões vulgares que me diziam ao ouvido. Não sei como aguentei".

Marilene Corona Franco declarou ao MPF que: "Em seguida, a declarante, dona Cecília e Rubens Paiva foram colocados encapuzados de frente para uma parede, no andar térreo. Em um determinado momento, alguém passou e deu um soco em Rubens Paiva. Dona Cecília disse: 'Vocês vão matar este homem', e eles responderam: 'Aqui é uma guerra', dando a entender que a morte de um preso não seria considerada algo criminoso. Pouco tempo depois, dona Cecília desfaleceu, pois estava muito tempo em pé e sem dormir ou se alimentar. Colocaram-na sentada em uma cadeira. Em seguida, quando a declarante ainda estava em pé e de frente para a parede, começou a ouvir gritos de Rubens Paiva sendo torturado em um salão do lado. Reconheceu que era Rubens Paiva porque os interrogadores indagavam sobre Jane e Rodolfo. Achou que era um salão porque os gritos ecoavam de forma muito forte. Tais gritos eram de certa forma abafados por um rádio colocado em alto volume. Lembra-se perfeitamente que tocavam a música 'Jesus Cristo', de Roberto Carlos, e também 'Apesar de você', de Chico Buarque. Rubens Paiva dizia não saber quem eram Luiz Rodolfo e Jane, nem do que estavam falando. Ouviu gritos de dor. Enquanto estava havendo a tortura, a declarante foi levada para o andar de cima, onde foi posta em uma cela individual. A partir desse momento, perdeu contato com Rubens Paiva e dona Cecília".

Ainda de acordo com a testemunha: "[Cecília] foi depois colocada em uma cela ao lado daquela onde foi colocado Rubens Paiva. Dona Cecília lhe disse depois que Paiva pedia seus remédios e também água. Ele também falava, com uma voz muito enfraquecida: 'Meu nome é Rubens Beyrodt Paiva'. Durante a madrugada, não deixaram a declarante dormir, pois periodicamente passava um soldado, iluminava o interior da solitária e exigia que o preso falasse o seu nome. Dona Cecília também lhe disse que durante a madrugada houve muito movimento na cela onde estava Rubens Paiva. Dona Cecília ouviu inclusive dizerem que ele precisaria ser hospitalizado".

O mesmo fato foi presenciado pelo ex-preso político Edson de Medeiros, que aguardava no térreo do prédio sua transferência para um quartel no bairro do Leblon. Ouvida pelo MPF, a testemunha relatou que: "No dia 20 de janeiro [...]), o declarante foi colocado em uma cela no andar térreo, dotada apenas de grades, o que lhe permitia ver o que se passava no corredor do prédio. Como era feriado o movimento não era muito grande no pelotão. Recorda-se então que na parte da tarde ouviu gritos de um homem sendo torturado. Lembra-se perfeitamente de que os agentes colocaram uma música do Roberto Carlos — 'Jesus Cristo' — em alto volume, possivelmente com o objetivo de abafar os gritos. Algum tempo depois viu de sua cela passarem dois recrutas puxando pelos pés um homem forte e gordo, com mais de cem quilos. Esse homem foi colocado na cela ao lado e gemia muito. Chamou também a atenção do depoente o fato de que ele não aparentava ser um estudante, pois já era um homem de meia-idade. [...] Algumas horas depois, o depoente ainda viu alguns agentes retirarem da cela um corpo inerte e totalmente coberto. [...] Percebeu também que os agentes davam uma importância muito grande àquele preso. Foi a última vez que viu esta pessoa".

Minha mãe nunca perdoou a incrível falha de segurança, o amadorismo, a imprudência: vir do Chile com uma carta escondida, no avião mais queimado do país, com o telefone do marido escrito no envelope; prepotência e descuido das organizações de esquerda, que colocaram duas famílias com crianças no fogo cruzado, os Viveiros de Castro e os Paiva.

Mas como culpar alguém se, naqueles tempos, por mais cuidado que tomassem, o mundo caía em cima, a repressão aparecia pelo esgoto, pelo telhado, infestava como uma praga que trazia a peste na saliva? Os militantes eram jovens. Eram idealistas. Largaram suas profissões e famílias por um ideal romântico. Queriam fazer algo pela liberdade. E eram dos poucos que tinham coragem de enfrentar um regime desgraçado, estúpido, dos gorilas. Como culpá-los?

O mundo estava de ponta-cabeça. Os direitos civis, anulados. A violência era uma política de Estado. Pelo documentário *70*, em que se entrevistam alguns dos setenta presos que foram trocados pelo embaixador suíço, percebe-se que não se podem julgar atos do passado pelo olhar de agora. Os setenta estavam destroçados. Foram torturados seguidamente, as garotas, estupradas, passaram calor em celas abafadas, ou frio, molhadas e sem roupa. Antes de embarcarem, ficaram horas presos sob o sol em camburões sufocantes no Galeão, a última tortura, uma lembrança de viagem, como os judeus em trens para a morte. Nem sabiam o que seria feito deles. Subiram as escadas do avião uns ajudando os outros. Os que não conseguiam caminhar eram carregados. Quando embarcaram, nem sabiam para onde iam. O piloto informou, a certa altura, que sobrevoavam os Andes.

Chile. Alguns desceram as escadas do 707 da Varig sem sapatos. Outros, sem camisa. Mancando. Surpresos, foram recepcionados como heróis. O aeroporto estava lotado de gente. Faixas e cartazes davam as boas-vindas. Autoridades do governo Allende os cumprimentavam de um em um. Deram entrevistas a correspondentes estrangeiros e agências internacionais de notícia. Com rupturas, cicatrizes de bala e tortura.

Tinha de tudo: guerrilheiros, freis, estudantes que foram pegos panfletando, moças que nunca deram um tiro na vida, gente que sabia que a opção da luta armada era uma roubada, mas não sabia o que fazer da vida. Dois desses se mataram anos depois, frei Tito, que se enforcou numa árvore na França, e Dora (Maria Auxiliadora Lara Barcelos), que se jogou debaixo de um trem em Berlim. Ambos destroçados pela tortura.

Ficaram pelo Chile sem dinheiro, passando fome. Eram tratados como "os setenta" que vieram ajudar a revolução de Allende. Mas veio o golpe do Chile, em 1973. Foram cassados pelo novo governo Pinochet. Passaram a ser "os setenta terroristas brasileiros". Muitos foram presos. Muitos voltaram a se exilar em embaixadas.

Difícil exigir um rigor no protocolo de segurança para uma massa de garotos destruídos, que precisaram se reerguer do nada. Eles tinham apenas feridas, dores, orgulho, talvez arrependimentos, e seus ideais.

Parte 3

Depois do luto

A casa da Delfim Moreira, 80, continuou do mesmo jeitão por anos. Virou um restaurante suíço por um tempo. Dizem que era um bom restaurante. Eu não tinha dinheiro para experimentar. Certamente meus pais seriam dos primeiros a frequentá-lo. Que ironia: o sequestro de um embaixador suíço nos fez mudar da casa que virou um restaurante suíço. Mantiveram as mesmas cores (paredes brancas e batentes azuis). Cheguei a visitá-la. Comecei a subir para o segundo andar. Um garçom me barrou. Expliquei que eu morara ali anos antes e queria rever a casa. Ele deixou. Sozinho, circulei pelos quartos. O meu se transformara num depósito de garrafas. Tudo estava igual, o piso, as treliças das janelas, as mesmas portas e fechaduras. Tinha ainda o calor da minha família. Tinha ainda o calor do meu pai. Eu tinha vontade de contar para todos como fui feliz naquela casa. Dos jogos de botão no chão, do tapete em que eu e minha irmã mais nova rolávamos, imitando a abertura da novela *Sangue e Areia*, das brincadeiras de dublar dramaticamente grandes artistas no sofá da sala: "Conceição, eu me lembro muito bem, vivia no morro a sonhar, com coisas que o morro não tem...". Reparem nesta vista! De todas as janelas, do quartinho da empregada, do lavabo, do escritório, dos quartos, se veem o mar, a praia, o céu. Naquela calçada joguei muita bola de gude. Na outra, empinei pipa. Ali, comemorei a conquista do tri, batucando. As pessoas passavam de carro e buzinavam, felizes. Nesta janela, colei bandeirinhas do Brasil. Para alguns, seria considerado um gesto de apoio ao regime. Que nada. Para mim, era apoio à Seleção Canarinho. Repare nas Cagarras! Ninguém reparava. A maioria estava preocupada em pescar com o garfo comprido o pedaço de pão ou de carne que tinha perdido dentro do fondue.

Em Santos, minha mãe começou a trabalhar na empresa do meu avô aduaneiro, a Paiva Companhia. Era a primeira vez que trabalhava. Era uma assistente. Sabia escrever, sabia línguas, sabia o básico. Fez vestibular para a faculdade de direito em 1972 e passou.

De dia ia para a rua XV de Novembro, sede da firma. Em casa, no quarto, trancada no escuro, chorava todas as noites, chorava sozinha, sem que nos déssemos conta. Não queria que percebêssemos, mas que tivéssemos uma infância e adolescência sem âncoras na alma, que tocássemos a vida, os estudos, que tivéssemos amigos, namoradas. Não repartiu sua dor com ninguém. Não sei julgar se estava certa ou errada. Era seu jeito de ser. Desde menina, a italianinha não repartia seus sentimentos felizes ou dolorosos com ninguém. Superar? Impossível. Esquecer? Nem pensar. Tocar. Seguir. Esperar reacenderem outra fogueira no alto, outro facho de luz, que orientasse a volta para a costa, para a terra firme, o chão.

Em 1974 nos mudamos para São Paulo, para um apê modesto e apertado nos Jardins. Ela só tinha uma procuração do meu pai antiga, de 1964 (de quando ele foi cassado e exilado). Poucos a aceitavam. A situação era uma aberração jurídica: não podia sacar dinheiro do banco, apenas o da conta conjunta, mas este estava acabando; ele não estava morto nem vivo, não tinha como tocar os negócios da família, tudo bloqueado; tinha um seguro de vida que não podia ser resgatado, pois não existia atestado de óbito; tinha uma pensão que não podia ser requerida; nem cheques de viagem em dólares podiam ser trocados (tenho eles até hoje, com a assinatura do meu pai).

Por sorte, ela conseguiu vender um terreno, o da pedreira no Jardim Botânico, o da jaqueira, o do sonho desfeito de uma casa enfim no nome da família, e comprou um apê na planta também nos Jardins, na mesma quadra, aproveitando o boom imobiliário da década de 70. Minha mãe morou ali por trinta anos, até o começo do Alzheimer. Uma casa própria, enfim. Sua! Nossa...

Em 1981, teve que vender um pequeno apartamento do meu avô Facciolla em São Vicente. Precisava da assinatura do meu pai. Relatou o "problema peculiar" ao juiz da Vara da Família, Marcos Martins, pedindo uma outorga judicial, ou seja, o direito de fazer a transação imobiliária sozinha. O juiz não apenas concedeu, como escreveu à Procuradoria da Justiça do Rio de Janeiro exigindo que um inquérito fosse aberto para apurar o desaparecimento de Rubens Paiva. Para ele, o relato de Eunice continha "veementes indícios de crime" cometidos contra Paiva e sua família. Ela comemorou muito. Alguém estava do nosso lado. Foi o começo do reconhecimento. E da sua viuvez jurídica.

Passou a ganhar dinheiro com revisões, bicos e traduções. Traduzia coleções dos *Impressionistas* da Abril. Estudávamos com bolsa. Havia solidariedade nas escolas católicas de esquerda. Nos aceitavam. Faculdade? Se quiséssemos uma, só gratuita, USP ou Unicamp. E, desde a adolescência, começamos também a trabalhar. Babiu estudou na PUC, mas tinha que pagar a mensalidade; trabalhava em escolas infantis.

Nascia uma nova Eunice. Renascia uma família.

Certa vez, dei uma festa no salão do prédio. Apareceu muita gente, de muitas escolas, muito mais do que convidei. Que se espalhou pelos corredores, escadas, hall social e de serviço: adolescentes alcoolizados fumavam maconha, namoraram, teve de tudo. À meia-noite, muitos mergulharam na piscina. Teve guerra de extintor de incêndio. Tínhamos acabado de nos mudar para lá, e os moradores, nossos vizinhos, especialmente a síndica, não gostaram nada do que viram. A ressaca moral foi pior do que a alcoólica. Fomos multados por desordem. Levei um esporro da minha mãe: logo na primeira casa própria que tivemos, depois de tanta luta para comprá-la?! Ela me obrigou a escrever uma carta com pedido de desculpas à síndica. Me obrigou, não, me pediu. Dizia que eu era o único homem da casa, que deveria cuidar dela e das irmãs, dar o exemplo, não dar trabalho. Escrevi. Dizia que a festa fugiu do controle. Pedi perdão. A carta é uma obra-prima literária. Só faltou citar Hobbes: "O homem é o lobo do homem".

Fui perdoado pela síndica e pela minha mãe, que depois virou síndica. E então começou uma relação em que respeito era o primeiro mandamento. Cara, controle-se, nada de dar trabalho para a sua mãe. Tudo bem, você está na adolescência. Mas olha a situação dela. Respeita! Você é o único homem da casa. Não é um moleque como os outros. Você tem responsabilidades. Tem que cuidar delas...

Passei a trabalhar no Jornal Mural do colégio (Santa Cruz). Que não tinha censura. Em cuja sede, no centrinho acadêmico, se reunia uma mistura de nerds feras em xadrez com neo-hippies perdidos entre tocar Tropicália e rock progressivo no violão, ou os dois misturados. A maioria das meninas não nos dava bola. Não tínhamos carros, casas no litoral, guitarras importadas, pranchas de surfe havaianas, roupas de grife nem mansões com piscina ou quadras. Se interessar, gostamos de poesia e livros, entendemos de cinema e literatura, sabemos por cima o que é o realismo italiano, o neorrealismo, a Nouvelle Vague, o Cinema Novo, o existencialismo, a importância de *Ladrões de bicicletas*, que mudou o cinema, filmes que vimos no Cine Bijou, que não pede carteirinha, na escola, no Cineclube da FGV, sabemos de Brecht, que mudou o teatro. Tocamos violão, usamos boinas. Isso acabou atraindo algumas poucas garotas, que curtiam nossas ideias existencialistas e Continental sem filtro, o nosso Gauloise.

Discutíamos superficialmente Camus, Sartre e Kafka, Dostoiévski de bônus. Eram os livros que líamos na escola. Ou melhor, autores que nos obrigavam a ler. Viajávamos de carona. Dávamos shows com violão made in Brazil (Giannini ou Di Giorgio). Usávamos Bamba. Íamos de busão para a escola. E eventualmente pegávamos emprestado o carro dos pais, fugindo de blitze, evitando avenidas movimentadas. Éramos conhecidos como "comunistas", apesar de não sermos comunistas e nos declararmos existencialistas barra anarquistas.

1976. Ano em que prestei o primeiro vestibular. Ano em que recomeçaram as manifestações políticas no Brasil. A "sorte" é que tinha uma ditadura a ser combatida, para extravasar nossas frustrações. Claro que só os "comunistas" da escola fizeram parte das primeiras passeatas reorganizadas pelos estudantes da USP, sempre dispersadas pela tropa de choque comandada por Erasmo Dias, a autoridade que gritava e espumava diante das câmeras. Éramos considerados os "secundaristas", o apoio ou massa de manobra, termo pejorativo. A liderança estudantil pedia calma e que não revidássemos as provocações da repressão. Mas o que fazer contra os cavalos que avançavam sobre velhinhas religiosas da ala católica que apoiava a luta, organizada pelo bispo comunista dom Paulo Evaristo Arns, do Movimento Contra a Carestia, que eu nem sabia o que significava, e que eram as que mais gritavam "mais feijão, menos canhão!"? Minha ira foi detonada no dia em que vi uma bomba de efeito moral ser atirada contra elas. Num gesto instintivo, chutei a bomba de volta, que estourou entre os pés de um grupo de policiais com escudos, capacetes e cassetetes, que rosnavam e se preparavam para sair batendo. Foi minha grande contribuição para combater a ditadura.

Certa vez, eu estava acuado com meus amigos existencialistas numa rua estreita da praça da Sé. Meganhas jogaram em nossa direção bombas de fumaça colorida. Que devolvemos antes de estourar. Eram bombas incríveis, com fumaças fosforescentes, lindas, que coloriam o cinza e a pátina do centro velho de São Paulo. Gostava quando atiravam aquelas bombas. Elas não nos intoxicavam, serviam para nos marcar. Bombas inúteis, porque corríamos para o metrô e a polícia não nos achava, independentemente de estarmos manchados de roxo, laranja, verde-limão. Não as usam mais.

Então, nos especializamos. Em todas as passeatas — pela Anistia, liberdades democráticas, contra a carestia, contra a censura, em apoio às greves dos metalúrgicos — ficávamos pelos cantos, observando a movimentação da tropa, de olho naqueles que portavam bombas nos cintos. Quando eles começavam a jogar, chutávamos de volta. As coloridas podíamos pegar pelo corpo da lata, com calma, evitando o jato de fumaça, e devolver pelo ar, caprichosamente, ou com ternura, para riscar o céu de cor, como uma pincelada sobre uma tela urbana.

Chegou a hora do vestibular, eu tinha que escolher a carreira no formulário da Fuvest, um X nas várias opções, um X para o resto da vida, o pequeno X que seria determinante para o meu futuro. Que importância um mísero rabisco... Você é o único homem da casa. Não é um moleque como os outros. Você tem responsabilidades. Tem que cuidar delas.

Como sempre fui bom em física e matemática, frequentei aulas de exatas no colegial. Mas minhas opções eram conflitantes:

1. Engenharia, seguindo uma tradição e pressão pessoal (o único homem da casa, não um moleque), uma pressão da minha mãe (responsabilidades, cuidar delas, cuidar delas, responsabilidades).

2. Filosofia, uma carreira platônica, reprimida.

Bem, os primeiros filósofos eram matemáticos, e os primeiros físicos eram filósofos. Não era tão estranho ser bom em matemática e física e querer filosofar. Matemática e filosofia nasceram juntas. Os pré-socráticos Tales de Mileto e Pitágoras eram matemáticos. O segundo chegou a definir o mundo como uma sequência numérica; para ele, os números explicavam tudo.

Uma amiga filósofa me disse que os filósofos estão na sua maioria sempre se arrastando existencialmente, sofrem de depressão ontológica e estresse metafísico. Me identifiquei. Sempre vivi em estresse metafísico. Nasci com estresse metafísico. Minha insônia era causada por estresse metafísico. Eu fumava porque vivia um estresse metafísico. Bebia porque vivia um estresse metafísico. Passava o dia em estresse metafísico xingando a estupidez do que via na TV, a mentira, a perda de tempo, a grosseria, lendo jornais, revistas, a grosseria nas ruas. Era um cara que via mais falhas no homem do que virtudes.

Mas eu era o único homem da casa, não um moleque qualquer, tinha responsabilidades, tinha que cuidar delas, e não tem discussão. Meu pai também foi meu modelo. Imitá-lo era uma missão. Ser como ele, ter sua integridade, seu carisma, inúmeros amigos, prestígio, uma profissão que incluísse viagens. Olhava para a minha mãe e deduzia que ela me preferia um filho engenheiro como o marido, com chances de obter um bom patrimônio no futuro, ajudar nas finanças abaladas da família, que vivia hoje sem saber do amanhã. Com os amigos dele, eu teria emprego garantido em grandes firmas, companhias de engenharia, empreiteiras. Quem sabe até herdar o espólio deixado por ele, reconstruir sua firma, reassumir seus projetos, sua vida. Tá, engenharia!

No mais, alguém vive de filosofia, sustenta a família, leva os filhos à Disney? Para decepção da minha professora de filosofia, Malu Montoro, que leu uma vez para a classe o meu trabalho de lógica aristotélica, meu único trabalho lido em classe, da única matéria em que tirei A numa avaliação. Nada disso. Engenharia.

Em 1977, fui para a Unicamp estudar engenharia. Minha mãe me apoiou. Dura, me disse quanto dinheiro poderia me dar por mês. Era pouco, mas dava. E no mais eu poderia fazer uns bicos.

Comecei na engenharia civil, como meu pai. Até descobrir que a partir do segundo ano teria que me mudar para Limeira. Campinas tudo bem, mas Limeira... Mudei para engenharia agrícola. Tentei até tirar brevê e aprender a pilotar avião, como ele. Fiz duas aulas apenas, no Campo dos Amarais, em Campinas. Não me entusiasmou. Não como as aulas de violão e teatro, que eu fazia desde os catorze anos e continuei em Campinas. Não larguei o grupo de teatro do Clube Paulistano, em que atuava desde os quinze anos. E entrei para um grupo na Unicamp, com estudantes de Brasília expulsos da UnB por causa do infame Decreto 477 (que jubilava alunos que participassem de atividades políticas e culturais).

Morei numa pensão perto da rodoviária, porque achava que aquilo não ia dar certo. Dividia o quarto com dois colegas do colégio. Um estudava filosofia, o outro, antropologia. Passávamos as noites discutindo a origem das coisas, debruçados sobre Heráclito, o grego que inverteu a filosofia e afirmou que "tudo é um" e os opostos são iguais. Heráclito era a droga mais pesada que consumíamos. Enquanto os livros de cálculo e resistência dos materiais mofavam.

O colega filósofo brigou com a dona da pensão. Não sei o que ele disse ou fez. Num surto, ela ameaçou botar fogo no sobrado, jogou querosene na escada, acendeu um fósforo e nos avisou aos gritos que, se não saíssemos em minutos, viraríamos cinzas. Você precisa ter responsabilidades, não é um moleque qualquer! Saímos em minutos. Voamos com nossas tralhas, livros e enigmas e nos mudamos para uma pensão enorme perto da estação ferroviária.

Nos primeiros meses, dormimos num quarto com seis beliches. Era pensão completa — café da manhã e um digno jantar inclusos. Quem servia era a filha do dono, uma moça de roupas apertadas e unhas negras, olhar agudo e sedutor, como o de uma existencialista francesa, que impregnou minhas fantasias.

A pensão só tinha um banheiro. E uma fila matinal nele. Quantas vezes não tomei banho no tanque do quintal, sob o frio da manhã campineira. A cidade era como um deserto, gelada às madrugadas e um forno ao meio-dia. Enfiava as pernas na água, depois os braços, depois a cabeça, observado pela garota enigmática de unhas negras. Eu tomava banho como um francês.

No beliche ao lado, dormia um pedreiro que reformava o prédio de Química do campus, onde os alunos produziam LSD e em cujo pátio interno a polícia encontrou pés de maconha. Nunca trocamos mais do que duas palavras: "Bom dia". Descíamos juntos as ladeiras do centro. No entanto, eu ficava no ponto de carona dos estudantes. Ele pegava o busão. Interessante como a divisão de classes cria rituais próprios, que aumentam a distância entre elas. Ele não ficava com os estudantes na fila de carona. Ia resignado para o seu busão, sua condução, o transporte dos trabalhadores. Que deviam entrar pela porta de serviço nos departamentos.

Estava na moda o marxismo. O marxismo estava em tudo: na filosofia, antropologia, sociologia, até na crítica literária. O Brasil vivia uma baita ditadura, mas nas universidades o pensamento predominante era sobre as bases do marxismo. Marxismo não me empolgava. O existencialismo, sim. E procurava como sempre desvendar os textos de dois mil e quinhentos anos antes e entender os pré-socráticos e os filósofos recentes, escrevendo cadernos e cadernos com pensamentos, me perguntando se a vida daquele pedreiro fazia sentido, me exibindo no banho de gato para a misteriosa garota de unhas negras, ignorando os livros de eletrificação rural e irrigação, cujo professor, no primeiro dia de curso, disse que a invenção mais importante da humanidade era o ar-condicionado.

Em algumas tardes, eu encontrava o pedreiro trabalhando com seus colegas. Nos cumprimentávamos educadamente. Ele já não usava a roupa de antes, mas um macacão sujo de tinta — que provavelmente a existencialista não lavava.

À noite, ele já dormia pesado quando eu entrava confuso pelos paradoxos de Zenão — e frustrado, pois as mãos com unhas negras tiravam os pratos e desprezavam as minhas, apesar de eu sempre tentar relar nelas, a maior ousadia que eu cometia, para tentar me aproximar da filha do dono, que parecia um mafioso siciliano e vigiava todos os passos da ragazza.

Engenharia, como o existencialismo, era um fardo. Comecei, como Parmênides, a desenvolver minha veia poética. Escrevi letras de música. Tocava violão até o amanhecer, no quarto de pensão. Fiquei meses morando nela. Meses sem ter um endereço fixo. Meses improvisando uma vida. Meses sem responsabilidades!

Certa vez, num dos pontos de carona na saída da cidade para a Unicamp, parou um carrão importado, chique, com ar-condicionado. Me dei bem, pensei. Era um senhor de idade. Provavelmente um dos professores-estrela da universidade. Perguntei o que ele fazia. "Sou filósofo", respondeu. Fiquei mudo, perplexo e encantado pela ousadia. Invejei-o.

Desisti da engenharia agrícola no final do terceiro ano, depois de bombar em resistência dos materiais, o Platão dos engenheiros. Que pena. Eu não seria rico, com uma fazenda produtiva, dono de picapes, com uma esposa loira e sarada, cheia de joias, jeans apertados, botas até o joelho e chapéu country, me perguntando se comprei ingressos para o imperdível show de Chitãozinho &

Xororó. Responsabilidades? Ouvi a voz: "Vai, Marcelo, ser gauche na vida".

Fui para a Escola de Comunicações e Artes da usp. Minha mãe não se opôs. Ganhava um bom dinheiro como advogada. Minhas irmãs, no mercado, na vida. Sustentavam-se. O mais fodido e perdido era justamente eu, o moleque, o único homem da casa. Quem sabe eu faria aquilo que meu pai sempre quis: dirigiria um jornal. Como ele, que fundou o *Jornal de Debates* com Gasparian e reorganizou o *Última Hora*. Ele que tinha tantos amigos jornalistas, escritores. O.k., jornalista, então.

Então mudei para Rádio & tv. Então passei a escrever livros. Então fiz teatro. Então minha mãe não tinha expectativa nenhuma sobre mim. E nem precisava. No final dos anos 80, eu já tinha a minha casa própria.

Você se lembra de mim?

A memória não se acumula sobre outra. A recente não é resgatada antes da milésima. Que não fica esquecida sob o peso das novidades, do presente. O passado interage com o segundo vivido, que já ficou para trás, virou memória recente. Memórias se embaralham.

Então me explica rápido: por que velhos com demência se esquecem das coisas vividas horas antes e se lembram das vividas na infância, décadas antes? Minha mãe, aos oitenta e cinco anos de idade, com Alzheimer, não se lembra do que comeu no café da manhã. Mas vê meu filho, de um ano e pouco, e o reconhece, como pouquíssimas pessoas. Vê sua foto e o reconhece. Tem saudades dele.

"Você se lembra de mim?" é a pergunta que todos lhe fazem. Querem ser reconhecidos. Querem que ela se lembre. Querem que ela se lembre "de mim". A prova de que tem algo deles dentro dela, uma memória que está lá, mas não consegue ser resgatada, que é da pessoa que quer ser lembrada. Querem a prova de que ainda existe alguma ligação com o mundo, com a vida. Pergunta que deixa o portador de Alzheimer em pânico, ele se sente desafiado, provavelmente tem uma vaga lembrança, e não sabemos se fala a verdade ou se desiste, mas passa a dizer para todos:

— É.

Não diz claro que me lembro, ou apenas sim. Diz: "É". Que não significa nada. Que não responde a nenhuma pergunta. Que "é" apenas. E quando quer dar um ponto final numa conversa, diz: "Pronto". Como quem diz "Satisfeito?, me lembrei de você, sem lembrar exatamente quem você é".

— Você se lembra de mim?

Veroca deu uma resposta ótima para um professor que fez essa pergunta:

— Não é importante, o fundamental não é a lembrança, mas como você interage com ela hoje.

Minha mãe ficou viúva aos quarenta e um anos. Na adolescência, eu não me identificava com colegas que reclamavam do conservadorismo dos pais. Minha mãe tinha amigos "avançados", escritores, feministas, editores, intelectuais, antropólogos, maconheiros, hippies, sem contar inúmeros políticos cassados, ex-exilados e jornalistas em busca de notícia. Recebia visitas de correspondentes estrangeiros, representantes de organizações de direitos humanos e de outros governos. Eu sei que já disse tudo isso.

Ali estava um ícone da ditadura, prova bem articulada que contestava a versão oficial. Minha mãe viva negava a mentira criada. O entra e sai era tamanho, que ela não tinha tempo para futilidades. Eu tinha, sim, ódio dos militares. Do poder. No entanto, assistir à atuação dela me ensinou a não alimentar revanchismos. Ao invés de se fazer de vítima, ela falava de um contexto maior, entendia a conjuntura do continente, sabia ser parte de uma luta ideológica. Era mais uma Maria (Maria Eunice), cantada por Elis Regina em "O bêbado e a equilibrista" ("choram Marias e Clarisses, no solo do Brasil..."). Nunca se deixou cair no pieguismo, não perdeu o controle diante das câmeras, nem vestiu uma camiseta com o rosto do marido desaparecido. Não culpou esse ou aquele, mas o todo. Não temeu pela vida. Lutou com palavras.

Virgílio Gomes da Silva, o Jonas, foi o primeiro da leva de desaparecimentos políticos que começou a partir de 1969 no Brasil. A última vez que foi visto foi em 29 de setembro, na Operação Bandeirante (Oban) de São Paulo. Entre 1970 e 1971, foram quinze os desaparecidos políticos. Depois, o número saltou para cento e quarenta. A ditadura adotou como prática sistemática execuções e desaparecimentos. Impossível calcular quantos. Se botar na conta aldeias indígenas, tribos dizimadas, que desapareceram na expansão da fronteira agrícola e ocupação da Amazônia promovida pelos militares, esse número vira uma enormidade.

São eles, os pioneiros: Mário Alves de Souza Vieira, desaparecido a partir de 17 de janeiro de 1970; Jorge Leal Gonçalves Pereira, desaparecido em 20 de outubro de 1970; Celso Gilberto de Oliveira, 30 ou 31 de dezembro de 1970; meu pai, 22 de janeiro de 1971; Antônio Joaquim de Souza Machado e Carlos Alberto Soares de Freitas, ambos em 15 de fevereiro de 1971; Joel Vasconcelos Santos, 15 de março; Stuart Edgar Angel Jones, 14 de maio; Ivan Mota Dias, 15 de maio; Mariano Joaquim da Silva, 31 de maio; Heleny Ferreira Telles Guariba, Walter Ribeiro Novaes e Paulo de Tarso Celestino da Silva, os três em 12 de julho de 1971; Francisco das Chagas Pereira, em 5 de agosto; e Félix Escobar, em outubro de 1971.

O Exército nem abria mais inquéritos sobre os desaparecimentos. Eram um caso banal. A prática, que começou no Brasil, espalhou-se. No Chile, a partir de 1973, foram três mil. Na Argentina, a partir de 1976, quinze mil.

Os familiares dos desaparecidos viviam num limbo civil, além de emocional (temos ou não um pai, uma mãe, um filho, uma filha ou netos vivos?). A burocracia engessava atividades corriqueiras. Não sabíamos nem a data em que deveríamos decretar como o dia da morte. Repare que usei a expressão "desaparecido a partir de", e não "morto em". Meu pai foi preso no dia 20 de janeiro. Estava morto na noite do 21 para o 22 de janeiro. Para nós, da família, a data da sua morte é 20 de janeiro. Só recentemente soubemos que ele morreu entre 21 e 22. Não mudaremos o dia em que sua morte faz aniversário.

Eu deveria vingar a morte do meu pai? Comprar um revólver e ir, de um em um, atirar na cabeça? Com dezessete, dezoito, dezenove anos eu não era maluco o suficiente para partir pra guerra. Era da paz. Era um pacifista. Alguns nomes dos torturadores envolvidos já tinham sido divulgados nas declarações oficiais do próprio Tribunal Militar. Bastava consultar o catálogo telefônico do Rio de Janeiro e ir de um em um, sabe quem eu sou?, pá, sabe de quem sou filho? pá, olha pra mim, pá. Mas lutar pela democratização seria uma vingança mais efetiva, e esperar que a Justiça numa nova democracia fizesse a sua parte. O que espero até hoje.

A famosa caixinha da Fiesp, de empresários que financiavam o centro de tortura da Oban, que inspirou os DOI-Codis, era passada pelo Henning Boilesen, da Ultragás, e dizem que ele frequentava as sessões, para assistir a garotos de ponta-cabeça levando choques. Empresários davam dinheiro e equipamentos para ajudar no combate ao "terrorismo", que atrapalhava os negócios. Boilesen foi justiçado pelo Movimento Revolucionário Tiradentes e a

Ação Libertadora Nacional (ALN), organização que ajudou a destroçá-lo, metralhado numa rua dos Jardins, perto de onde mataram Marighella.

Torturadores, "traidores" e delegados também foram justiçados.

Imagino o cara que foi torturado quase até a morte por um policial e depois o encontra nas ruas. Membros da ALN queriam vingar os amigos e atacar os centros de tortura. Marighella era contra. Dizia que a luta era ampla, contra um sistema, um regime, não contra os agentes da repressão, que era uma luta política, não pessoal. Impedia ações de vingança. Mas, depois da sua morte, a organização perdeu o rumo, executou companheiros, rachou.

Via minha mãe sem rancor, publicamente a favor da Anistia, aliada a movimentos dos direitos humanos, sensata, com um ideal nos punhos, e me dizia que ali estava a atitude correta, a nossa guerra. Ela aos poucos se tornava um ícone da redemocratização. Uma autoridade. Dava entrevistas, recepcionava aliados, frequentava reuniões no Congresso, agregava. Eu, com minha gangue de garotos revoltados e fiéis ao determinismo histórico, passava em frente de restaurantes da burguesia e gritava: "Essa moleza vai acabar!". Ah, sim, fiz pichações. No campus da Unicamp. Não muito inspiradas: PELA LIBERDADE DE EXPRESSÃO, LIBERDADES DEMOCRÁTICAS, ANISTIA AMPLA E IRRESTRITA. Os jargões reformistas em voga.

Minhas irmãs, sim, militaram no movimento estudantil. A Veroca chegou a ser líder da tendência majoritária, Refazenda. Com o tempo, fiquei mais à margem. A ditadura ruía. O movimento sindical se organizara. Novos partidos políticos surgiram. Achei que o movimento estudantil se tornava uma tolice, não se renovava, ficava isolado.

Os estudantes universitários do final dos anos 70 organizaram shows na USP, Milton Nascimento, Gilberto Gil. Quando entrei na USP, em 1982, o movimento enfraquecera. A esquerda perdeu as eleições da ECA para um grupo anarquista, Os Picaretas. Teve um show punk na recepção, com Cólera e Ratos do Porão. Numa festa chamada Gato Morto. Meus novos colegas me levavam a shows punks do Sesc e da PUC, à boate punk Napalm, depois Carbono 14. Eu namorava a garçonete do Carbono, que foi para o Rose. Aliás, frequentei tudo isso porque ela me levou, me ensinou, me aliciou. Eu bebia no Madame Satã, consolidava a amizade com as bandas punks, as de Brasília, não perdia um show do IRA!, bebia com Renato Russo, que era amigo dela, enxugávamos uma merda de uma garrafa de um uísque brasileiro numa noite, escrevia letras de música e poemas em jornais universitários. Escrevi em fanzines punks, como o *SPALT*.

Na verdade, não contribuí efetivamente com quase nada para a queda da ditadura. Minha mãe e minhas irmãs, sim. Apenas escrevi expondo meu desencanto. Que poderia ser contra a ditadura, contra o capitalismo, contra a existência. Descontei. Desabafei.

No mais, a morte de Boilesen na manhã de 15 de abril de 1971, na alameda Casa Branca, não serviu para nada. Não apressou o fim da ditadura. Talvez tenha até a endurecido mais. Mas vai falar isso para quem foi torturado graças a ele... A luta armada não apressou o fim da ditadura. Um amigo me propôs matar os que mataram o meu pai. Era de Crato, no Ceará. Dizia ter ligações com cangaceiros, justiceiros. Bastava eu dar os nomes. Bastava eu apontar. Meu amigo diletante, poeta-jornalista, bebum dos bons, insistia. Mando matar. Nem aventei a possibilidade. A redemocratização será a morte deles.

Uma denúncia da Justiça, um julgamento posterior e a condenação legítima, elas virão.

Não vieram.

A luta pela Anistia começou em 1977, 78, 79. Em 7 de novembro de 1978, minha mãe participou de uma mesa no Tuca, teatro da PUC-SP, sobre "Mortos e Desaparecidos", com a Clarice Herzog. Em 27 de junho de 1979, foi à outra mesa-redonda, agora no auditório do Tuquinha, do Comitê Brasileiro de Anistia, seção de São Paulo.

A "operação Anistia", que começou na posse do Figueiredo para abafar os movimentos sociais e propor uma Lei de Anistia que anistiasse os torturadores, recebeu retoques finais em 1979: a aprovação do Conselho de Defesa dos Direitos da Pessoa Humana. O CDDPH passou a atuar em violações presentes de direitos humanos, tentando eliminar novos abusos, que implicaria "esquecer o passado" com o arquivamento de processos sobre tortura e desaparecimentos, dentre eles o caso do meu pai. A reação dos familiares foi imediata. Saiu nos jornais:

> Eunice Paiva, que já se considera viúva de Rubens Paiva, baseada na Lei de Anistia, pediu declaração de "morte presumida" do marido e classificou a decisão do CDDPH como uma confissão pública de coautoria do governo atual nos crimes cometidos contra presos políticos pela repressão. Ela ainda disse que o esquecimento proposto pelo ministro da Justiça, e aceito pela maioria submissa do CDDPH, nada mais é do que condescendência criminosa, proposta por motivos óbvios e que, um dia, também serão apurados.

Não foram.

Já falei do suflê?

Eu vivia com quase nada. Almoçava no bandejão da universidade. Andava de carona, moto, viajava de carona, busão, andava muito a pé. Adolescente, namorei uma garota no Morumbi, depois do Palácio do Governo. Voltava de sua casa a pé. Dava mais de uma hora. Descia resignado a avenida Morumbi, cruzava a marginal de Pinheiros e subia a Nove de Julho até em casa. No frio. Na madrugada. No silêncio e vazio da megacidade. No fundo, era gostoso passear e cruzar bairros tão distintos, com uma surpresa em cada quadra. Uma pena que ela me dispensou dois meses depois.

Morei em pensões e repúblicas em Campinas sem telefone, TV, carro, dormi em colchões no chão, minha vida cabia numa mala. Na minha vida, não cabia ostentação. Já na da minha mãe...

Assim que nos mudamos para São Paulo, em 1974, não tínhamos dinheiro, mas tínhamos quadros de valor. Ela não os vendia. Dizia que os quadros eram importantes para as visitas. Ela não queria de jeito nenhum demonstrar aos amigos que o padrão daquela família que já foi burguesa não era mais o mesmo depois da morte do "provedor". A sala era bacanérrima. Tapetes caros, móveis de design, madeira de lei e quadros. Ninguém ligaria em ser recepcionado por uma viúva com cinco adolescentes numa sala simples e de bom gosto. Ela, sim, se incomodaria. Costurava os próprios vestidos, seguindo moldes de revistas. E fabricava o próprio destilado. Isso mesmo. Numa noite em que recebia amigos, flagrei-a na cozinha colocando uísque brasileiro barato através de um funil branco de plástico numa garrafa vazia de um escocês envelhecido e há muito consumido. Ri da cena. "Mamãe?" Ela ficou sem graça e se justificou:

— Depois da terceira dose, ninguém nota a diferença.

É bom lembrar que a economia brasileira era fechada naquela época, uísque escocês era uma nota, uma preciosidade; e só se conseguia de forma ilícita, no contrabando.

Nunca entendi a necessidade que ela tinha de oferecer algo que estava fora dos padrões, de demonstrar uma falsa estabilidade financeira. Insegura que era, talvez fosse a maneira que encontrou de encarar o luto: minha vida mudou, mas não a eliminaram. A ressaca dos seus amigos era menos importante do que a sensação de que a Eunice está bem, está viva, está magra, bonita, bem vestida, está se virando, sem fazer drama, sem reclamar, sem pedir nada. Sua vingança era a cabeça erguida, a pose de quem sabe enfrentar os inimigos. Ajudei algumas vezes a encher garrafas de Logan, JB, Chivas, Grant's Ballantine's com uma mistura de nacionais.

Nesse início de viuvez ela descobriu o que é estar sozinha ainda com quarenta e um anos. Jovem, queimada, magra, independente. Recebeu três propostas de casamento quando saiu do luto. Curiosamente, de três amigos do meu pai, dois separados e um viúvo, também nos seus quarenta anos. Não amigos íntimos. Companheiros. Um ex-colega de exílio, um ex-colega cassado, do governo Jango, e o irmão de um amigo. Era a geração pré-revolução sexual. Casamento era um pacto que hoje soa absurdo e caduco. Queriam casar com a minha mãe para ela administrar suas vidas, seus lares, suas famílias, a rotina de seus filhos. Eram homens que não sabiam viver sem donas de casa à sombra.

Minha mãe estava noutra. Dizia abertamente que ficava honrada com as propostas, mas achava ridículo se mudar com seus cinco filhos adolescentes para a casa de outro pai que tinha também filhos na adolescência. Tinha a faculdade de direito e a luta contra a ditadura, não tinha tempo para redecorar casas de homens crescidos, organizar festas e jantares, preparar a cristaleira com uísque e gelo para quando o mancebo chegasse de um dia de trabalho exaustivo, ajudá-lo a escolher gravatas, abotoar colarinhos, passar mangas e golas, preparar suflês (aliás, sua especialidade), decorar árvores de Natal, agendar compromissos, esperar bela e faceira o homem da casa voltar, o provedor da família, que a tirou do luto (e da luta) e lhe deu outro lar. Falamos de homens que nasceram nos anos 20; homens que não existem mais.

Minha mãe estava noutra.

Não há grandes tiradas freudianas nesse raciocínio. Na real, nenhum de nós tinha ciúmes dela. Na real, preferíamos até que ela se casasse e se desse bem na vida. Estávamos crescidinhos, apesar de adolescentes. Duas irmãs moravam com estudantes-namorados. Com nossos bicos, nos virávamos. Não precisaríamos dividir a rotina de outra família, com seu novo marido, com novos irmãos. Estávamos noutra também. O futuro tinha urgência. Prioridade.

Eu já falei, suas melhores amigas não eram mais as esposas dos melhores amigos do meu pai, as que sobravam na mesa de pôquer. Passou a se relacionar com outras mulheres, viúvas, separadas e excluídas como ela: uma editora lésbica, que por um tempo namorou uma mulher chamada Eunice, o que virou a maior gozação lá em casa; uma artista plástica solteirona, que dava aulas na faculdade de arquitetura e urbanismo da USP e tinha fama de pegar alunos décadas mais jovens; uma escritora também viúva; uma psicanalista desquitada, linda de morrer; uma arquiteta também recém-desquitada, também linda de morrer, que andava pela cidade num MP vermelho conversível, provocante e moderna. E saía com seus colegas da faculdade de direito, vinte e cinco anos mais novos do que ela. Deu até uma namorada num professor (da sua geração). Mantinha boas relações com alguns políticos, participava de encontros, palestras e lançamentos de livros que focavam os direitos humanos, participava das boas-vindas de exilados que se arriscavam e voltavam antes da Lei da Anistia.

Mas se casar de novo? Virar dona de casa? Não tinha volta. Até me surpreendeu um dia ao criticar meu herói, meu pai. Contou que disse uma vez para ele que queria trabalhar. Ele, irônico, comentou:

— Vai abrir uma butique em Ipanema?

Ela ficou furiosa. Meu herói, meu pai, era um homem da sua geração. Queria uma mulher que não trabalhasse. Sempre disponível. Acessível. Disposta. Arrumada. Ela me contou então que se ele não a deixasse mesmo trabalhar, tinha até planejado se separar. O que me deixou de boca aberta. Inquieta.

Na verdade, a geração dos meus pais viu aos quarenta anos a revolução sexual desfilar cantando coisas de amor diante de seus narizes. Viu a banda passar e babou. A maioria, tentada, acabou se jogando. Muitos divórcios rolaram na turma dela. Quase todos os amigos dos meus pais se divorciaram. Exatamente na passagem da década de 70 para a de 80, quando ela começou a atuar como advogada. Por ser amiga e de confiança, virou a advogada de família de uma turma grande de amigos. Cujos pais começaram a morrer. Pronto, além de advogada do divórcio de confiança da família, virou a inventariante principal da mesma turma de amigos. E, como os mesmos amigos começaram a herdar os negócios dos pais, editora, empresa e até fábrica, pronto, virou a advogada de família, inventariante e civil da mesma turma de amigos herdeiros. E foi juntando assim um patrimônio considerável para uma viúva que começou a trabalhar depois dos quarenta e dois anos e não conseguia fazer o inventário do marido desaparecido.

Casar pra quê?

Aos poucos, ela se deu ao luxo de atuar numa área que não dava dinheiro, mas pela qual se apaixonou inexplicavelmente: o direito indígena. Passou a atender e a representar nações indígenas que tinham suas terras demarcadas não respeitadas.

Em outubro de 1983, assinou com Manuela Carneiro da Cunha, na seção "Tendências e Debates" da *Folha*, o artigo "Defendam os pataxós". Ambas trabalhavam na Comissão Pró-Índio de São Paulo, ONG fundada em 1978. O artigo foi um marco na luta indígena brasileira e serviu de modelo para outros povos indígenas, inclusive africanos, americanos e esquimós.

O artigo descrevia a situação dos pataxós hã-hã--hae, do sul da Bahia. Ironicamente, morando nas terras em que oficialmente os europeus colocaram os pés pela primeira vez no Descobrimento. Tratados como um estorvo na ditadura por fazendeiros aliados do regime.

Sim, são aqueles dos arredores de Porto Seguro, Trancoso, Arraial d'Ajuda, Caraíva. Quem já passou por lá sabe que hoje não se pode entrar em suas terras sem autorização. Respeitam a existência deles, que se espalham de Ilhéus até os arredores do monte Pascoal, a elevação vista pela tripulação de Cabral: Terra à vista! Continuam no mesmo lugar.

No artigo, elas descreviam a saga vivida pelos pataxós, cuja reserva foi criada em 1929 e tinha cinquenta léguas quadradas. Em 1936, foi mutilada pelo próprio órgão do governo federal, o Serviço de Proteção aos Índios (SPI). Em 1937, o governo arrendou suas terras para fazendeiros. Posseiros e grileiros começam a expulsar os nativos. Na década de 60, o governo os abandonou, fechou o posto de fiscalização. Em 1970, o governo da Bahia distribuiu títulos de propriedade do território indígena a fazendeiros. Em 1982, a Funai, que substituiu o SPI, negociou: os índios se contentariam com seis mil e quinhentos hectares e renunciariam aos vinte e nove mil e quinhentos restantes. Não cederam, foram cercados pela polícia federal, que fechou a estrada. Ficaram isolados e sem mantimentos. A solução final estava em andamento.

Elas escreveram:

> Os pataxós estão acuados: são mais de 750 na Fazenda São Lucas, em que barracas apodrecem. Estão na inteira dependência da Funai para sua alimentação, que não permite o cultivo de roças. Faltam ferramentas e sementes, estão sem água potável. Os fazendeiros os impedem de ir ao rio a um quilômetro da fazenda. Nesta situação, a quem recorrer? Há a Funai, que enquanto tutora deveria encaminhar

a vontade expressa dos tutelados, mas está substituindo sua voz a deles. Coloca-se em posição que não lhe cabe, de mediadora e até de juiz. A Funai está atrelada a um sistema no qual os direitos indígenas são a última das suas preocupações.

Assim era o Brasil da ditadura: o órgão que deveria defender os índios defendia os fazendeiros que invadiam as terras indígenas, a polícia federal, que deveria defender o direito do cidadão, defendia o Estado e o poder, que se sentia ameaçado pelo cidadão.

Minha mãe viu semelhanças aí entre duas políticas de Estado, a da eliminação planejada e incontestável dos seus oponentes. Mataram deliberadamente os inimigos da ditadura. Deixam agora morrer os inimigos do progresso, do futuro, dos fazendeiros amigos do poder, poder instaurado por eles. Deixaram apodrecer nos porões da ditadura os adversários políticos. Deixem apodrecer os índios que não trabalham e são tutelados.

Então, ela usa a sua experiência pessoal, dá uma alfinetada num adversário antigo e compara: "A impotência da Funai, órgão do Ministério do Interior, tem analogias com a do Conselho dos Direitos da Pessoa Humana, órgão do Ministério da Justiça na época da repressão". Pede providências do Congresso e da opinião pública. Encerra o texto: "Um grupo de índios que resiste a todas as violências conseguirá convencê-los? Defendam os pataxós".

Para minha mãe, a luta era a mesma. Se não conseguiu salvar o marido e tantos outros, tentaria salvar os índios, numa ditadura enfraquecida, com uma sociedade civil mais organizada e a imprensa livre. O Congresso instituiu a CPI do Índio. A Funai mudou de comando e política. Passou para as mãos dos índios. As reservas foram demarcadas, e os fazendeiros, expulsos. Hoje existem mais de catorze mil pataxós na área.

Um detalhe chama atenção. Ela não assinou Maria Lucrécia Eunice Facciolla Paiva. E olha que em todas as ocasiões ela sempre exigiu que usassem o nome completo, composto de três nomes. Nem assinou como a viúva de Rubens Paiva, do movimento pela Anistia, Diretas Já, uma familiar de desaparecido político, uma vítima da ditadura. O artigo é assinado por uma Eunice Paiva. Por uma Eunice. Uma outra Eunice. Uma nova Eunice. E, cuidadosa que era, certamente foi quem pediu: assinarei apenas Eunice Paiva. Muitos dos leitores do artigo não fizeram associação com a outra Eunice Paiva, a Maria Lucrécia Eunice Facciolla Paiva. Não sei nem se a *Folha* sabia que era a viúva de Rubens Paiva quem assinava o artigo na importante página 3.

No mesmo ano, a notícia: "A ameaça de morte a funcionários da Funai, reféns dos índios do Xingu, preocupava antropólogos reunidos em São Paulo, sob a liderança indígena de Ailton Krenak, que recebeu uma carta dizendo que seria impossível controlar os guerreiros e garantir a vida dos reféns". Minha mãe aparece na imprensa como "jurista", advertindo para o problema da não demarcação das terras indígenas. Ela citou um caso em Serra Morena, no Mato Grosso, onde o próprio governo teria invadido uma terra indígena e estaria construindo uma hidrelétrica. Jurista...

A Comissão Nacional da Verdade mostrou que índios foram presos, sofreram tortura e até desapareceram durante a ditadura. Houve massacres de aldeias: crimes não eventuais, mas sistemáticos, praticados por agentes do Estado ou a serviço dele:

O ano de 1968, na esteira do endurecimento da ditadura militar com o AI-5, marca o início de uma política indigenista mais agressiva — inclusive com a criação de presídios para indígenas. O Plano de Integração Nacional (PIN), editado em 1970, preconiza o estímulo à ocupação da Amazônia. A Amazônia é representada como um vazio populacional, ignorando assim a existência de povos indígenas na região. A ideia de integração se apoia em abertura de estradas, particularmente a Transamazônica e a BR-163, de Cuiabá a Santarém, além das BR 174, 210 e 374. A meta era assentar umas 100 mil famílias ao longo das estradas, em mais de 2 milhões de quilômetros quadrados de terras expropriadas. Na época, o ministro do Interior era o militar e político José Costa Cavalcanti, um dos signatários do AI-5, que ficaria no cargo de 1969 até 1974, apoiado por Costa e Silva (a quem ajudara a ascender a presidente) e por Médici. Costa Cavalcanti ele próprio declara que a Transamazônica cortaria terras de 29 etnias indígenas, sendo onze grupos isolados e nove de contato intermitente — acarretando em remoções forçadas. Para a consecução de tal programa, a Funai, então dirigida pelo general Bandeira de Mello, firmou um convênio com a Superintendência de Desenvolvimento da Amazônia (Sudam) para a "pacificação de trinta grupos indígenas arredios" e se tornou a executora de uma política de contato, atração e remoção de índios de seus territórios em benefício das estradas e da colonização pretendida.

Povos sofreram remoções forçadas. Aldeias foram dizimadas. Houve genocídio dos índios xetás no Paraná. Houve genocídio dos avás-canoeiros no Araguaia e um massacre contra os cintas-largas no Mato Grosso. Teve uma cadeia só para indígenas, o chamado Reformatório Krenak, construído em Governador Valadares.

O sertanista Antonio Cotrim Soares dizia que era "um campo de concentração" para onde eram enviados os índios revoltados com o sistema "explorador e opressivo" da Funai (121 índios ficaram presos entre 1969 e 1979).

Ao ouvir Bonifácio R. Duarte, índio guarani-kaiowá detido no reformatório, os comissários da CNV descobriram um padrão com o qual estavam familiarizados em relatos de presos políticos:

> Amarravam a gente no tronco, muito apertado. Tinha outros que eles amarravam com corda de cabeça para baixo. A gente acordava e via aquela pessoa morta que não aguentava ficar amarrada daquele jeito. A gente tinha medo. Os outros apanharam mais pesado que eu. Derrubavam no chão.

Relatou também o desaparecimento de parentes e fez referência a uma ilha para onde os presos eram levados e não voltavam mais (Ilha das Cobras).

Oredes Krenak também denunciou:

> Bater era normal para eles. Se o índio tentava se justificar por alguma acusação, batiam com cassetete grande, depois jogavam na prisão. Não podiam nem perguntar por que estavam sendo punidos. Também batiam de chicote. Algemavam o preso dentro da cadeia e ele não podia falar, argumentar. Ameaçavam com arma. Os mais antigos contam que, quando matavam um índio, jogavam no rio Doce e diziam pros parentes que tinha ido viajar. Até a década de 80, nosso povo sofreu bastante com os militares.

Depois de ouvir relatos semelhantes e se identificar com a dor, minha mãe se engajou com tudo: no Dia do Índio de 1984, participou de um debate na TV Cultura ao lado de Ailton Krenak, Dalmo Dallari, Sylvia Caiuby e sua amiga Carmen Junqueira. Passou a ser apresentada como assessora jurídica da Comissão Pró-Índio. Participou de vários debates, sempre ao lado de Krenak e Dallari. Era dura. Exigia a demarcação das terras indígenas. Denunciava que o governo não parecia estar disposto a cumprir o que exigia a lei. Governo militar, ainda. O que restava dele.

Anos depois, foi ela quem atuou para que a Vale do Rio Doce indenizasse os índios em cujas terras fora construída a linha de trem. A notícia se espalhou, outras nações, outros povos, pediram a sua intervenção. Um dia cheguei na casa dela, tinha na sala um krenak, Ailton, de quem ficou muito amiga, um terena e um índio tucano enorme. Depois a vi se reunindo com ianomâmis.

As linhas de transmissão da Eletronorte passavam em terras indígenas. Lá ia ela intervir. O Banco Mundial investia em projetos na Amazônia e exigia o respeito às terras indígenas. No Projeto Carajás, ela exigiu que três milhões de dólares fossem para treze comunidades indígenas afetadas. Em Rondônia, a mesma coisa, o BM financiou a rodovia Cuiabá-Porto Velho, que passava por terras indígenas, condicionando a proteção de aldeias. Minha mãe advogou por eles.

Em julho de 1984, foi convidada para representar o Brasil no Congresso Mundial das Populações Nativas em Estrasburgo. Havia aborígenes, tribos africanas, esquimós, tudo. Ficou lá uma semana com a minha irmã Nalu. Durante o dia, ela ia ao congresso, e à noite jantavam sorvete com vinho branco. Ela adorava aquelas imensas taças francesas com sorvete de *fruits rouges* (*cassis, framboise et fraise*) e chantilly. Como as taças eram muito grandes, só jantavam isso. Saíam bêbadas pela rua rindo da cara que o garçom fazia quando pediam apenas sorvete com vinho.

O Banco Mundial passou a exigir, de qualquer projeto que financiasse na Amazônia, o aval de peritos, atestando que o meio ambiente e o direito indígena seriam respeitados. Ela passou a assessorar o Banco Mundial. Ficou amiga de antropólogos, especialistas em meio ambiente, em energia. Passou a falar não mais como viúva de Rubens Paiva, representante de familiares de desaparecidos, mas como autoridade em direito indígena e representante do BM.

Surgiu uma Eunice que viajava de aviãozinho pela Amazônia, chegava suja de terra e eventualmente com uma tatuagem de urucum, pulseiras e colares, de jeans e tênis, que ia e voltava para a Suíça, Genebra, para reuniões no Escritório do Alto Comissário das Nações Unidas para os Direitos Humanos, que ia a Brasília defender o direito indígena nas instâncias superiores, Funai, STF, uma Eunice que para variar se renovava, encerrava um luto na medida do possível e a que meu pai, se por um milagre reaparecesse, teria que se readaptar, uma mulher nova e independente, que não serviria uisquinho para ele, porque estaria numa reunião na ONU. E que duvido muito aceitasse voltar ao papel de dona de casa do Leblon ou gerente de uma butique de Ipanema.

Descobri então que Eunice não foi uma só. Existiram algumas que não se contrapunham, completavam-se, não se contradiziam, somavam-se, reconstruíam-se da tragédia, alimentavam-se dela para renascer.

Na campanha das Diretas Já, lá estava ela de amarelo (a cor do movimento) nos palanques. Foi requisitada para a famosa foto de representantes da "sociedade civil" no heliponto da *Folha de S.Paulo*, declarando o apoio às eleições diretas.

Encontrou o candidato à presidência Tancredo Neves em outubro de 1984, num jantar com jornalistas em Brasília, no apê de Baby Bocayuva, reeleito deputado pelo novo PDT. A candidatura de Tancredo começou a decolar, interrompendo o ciclo militar. O mineiro ouviu mais do que falou. Minha mãe se queixou da Lei da Anistia, que perdoava torturadores. Ninguém sabia o que os civis fariam no poder em relação às monstruosidades da ditadura. Deixaram barato por muitos anos.

Na proclamação da Constituição de 1988, depois de uma constituinte atribulada de que ela participou defendendo os povos indígenas, o presidente do Congresso, o bom velhinho, o ícone da redemocratização, o homem mais respeitado do país, Ulysses Guimarães, declarou a um plenário lotado, encerrando os trabalhos: "Esta é a Constituição Rubens Paiva!". Ela estava lá, convidada de honra.

Em junho de 1990, chegaram a oferecer que ela fosse candidata ao Senado pelo PT. Ela não quis. Ofereceram a suplência do senador Eduardo Suplicy. Ficou honrada. Era amiga do Supla pai. Mas declinou. Queria tocar a sua vida. Em outubro, estava num painel discutindo "A Questão das Nações Indígenas", no Salão Nobre da OAB-SP, na praça da Sé. Inaugurou a Biblioteca Rubens Paiva, no prédio de engenharia do Mackenzie, onde ele estudou e militou.

Nasceram os primeiros netos. Eunice virou vovó Nice.

Em 25 de setembro de 1998, inaugurou com o governador do Rio, Marcello Alencar, a estação de metrô Engenheiro Rubens Paiva. Depois, o Terminal Rubens

Paiva da rodoviária de Santos. Não deu para ela ir à inauguração da Escola Rubens Paiva, em Sapopemba, Zona Leste de São Paulo, escola municipal técnica. Fui com a Veroca. Apresentaram uma peça contando a história da minha família. Um garotinho de lá me representou. Eram todos negros.

Enquanto víamos renascer outra mãe, que voltava a dançar Frank Sinatra com uma alegria verdadeira, estalar os dedos no ritmo, rir de verdade, beber com gosto um bom vinho e um uísque enfim legítimo, algumas das suas manias permaneciam, como a de pentear meu cabelo ou criticar o corte (ou a falta de). Bastava eu chegar em sua casa que ela o penteava. Certa vez, no Theatro Municipal, fui receber um prêmio literário e ela veio atrás me penteando. Não reclamava das minhas roupas, de eu fumar, apesar da infância com bronquite, em que ela passou noites em claro comigo me ajudando a respirar. Não reclamou dos meus amigos esquisitos, abatidos, magros, das namoradas excêntricas, dos meus sumiços. Ao contrário. Meus amigos malucos a adoravam. Ela os tratava bem. Ela tinha assunto.

Orgulhava-se da minha opção de vida. Ela também tinha feito letras. Reclamava de duas coisas apenas: do meu cabelo despenteado e do meu estilo literário e dramatúrgico com palavrões. Não se importava com a linguagem coloquial, que parte da crítica chamava de subliteratura. Logo ela, letrada, com dois diplomas, tinha um filho que não respeitava a norma culta, escrevia de um jeito que chocava os acadêmicos e por vezes era chamado de semianalfabeto. Ela não se importava, porque ela, durante muitos anos, foi minha revisora, respeitava o estilo, entendeu minha proposta, corrigia as informações erradas ou os erros que nem o coloquialismo sustentava, mas respeitava a linguagem. Nos meus primeiros livros e artigos, pode contar: tem a mão dela na revisão.

Certa vez, levei-a para ver a minha peça mais premiada. Na saída, olhei para ela orgulhoso. Mãe, essa daí os críticos amaram. Ganhei prêmio de melhor autor. Ela disse:

— Meu filho, pra que tanto palavrão? E por que o ator entra de havaianas? Teatro é um templo. As pessoas querem ver coisas bonitas e de bom gosto no palco. Seus atores estão muito molambentos...

E me perguntou se eu precisava de dinheiro para comprar sapatos para os atores, digo, personagens.

Arrumou um namorado suíço gente boa, Maurice, antropólogo especialista em arte barroca brasileira, que morava em Genebra, dirigia um conversível, usava casacão de couro e fazia piadas sobre as vacas suíças, que eram contratadas para fingir que pastavam para atrair turistas. O namoro ideal. Ele vinha duas ou três vezes por ano ao Brasil e se hospedava com ela. Ela ia duas ou três vezes por ano para a Suíça e ficava com ele. Mas ela mantinha uma tímida formalidade. Quando ele vinha, minha mãe preparava o quarto de hóspedes, quarto que já fora meu um dia. Mas ele dormia com ela, no quarto dela. Sei pois cheguei um dia de surpresa. A porta do quarto de hóspedes estava aberta. Risadinhas vinham do quarto dela, cuja luz estava acesa e a porta bem fechada. Dei a volta e os deixei a sós.

O cara era tão gente boa. Jovem. Cheio de histórias para contar. Antropólogo que conhecia mais do Brasil do que muitos brasileiros. Com uma ironia carioca, bon vivant. Zero ciúme dessa relação, zero incômodo. Nem da minha parte, nem das irmãs. Ao contrário: sempre quisemos que ela se desse bem, que namorasse, que não vivesse o papel de viúva da ditadura, viúva de desaparecido, viúva de mártir; ninguém queria uma mãe num luto eterno. A essa altura, ela morava sozinha, ganhava um bom dinheiro, viajava sem parar. Os cinco filhos já casados, criados, formados, com mestrados ou doutorados. Ele se especializou na ocupação francesa no Maranhão. Foi pedir apoio financeiro ao Sarney, então presidente do Brasil. Mamãe não gostou, achou oportunismo. Certa vez, foi visitá-lo em Genebra. Ele tinha quebrado a perna. Sentiu uma distância. O namoro acabou ali. Nem pareceu incomodada por ter terminado. Não curtiu fossa alguma. Minha irmã Babiu, casada com um suíço que mora em Berna, convidou Maurice para fazer parte da banca de mestrado dela em 1997, sobre a imigração brasileira na Suíça. Ele adorou e deu nota máxima. Olhava para ela emocionado e dizia que aquele olhar e sorriso eram parecidos com os da Eunice...

Minha mãe estabeleceu uma rotina familiar bem ortodoxa. No Natal, cozinhava os mesmos pratos havia décadas. Era no mesmo horário, com um brinde ao final. Os almoços de domingo, religiosos. Ao meio-dia e meia. E ah se alguém se atrasasse... Final do ano, estávamos liberados para passar onde bem entendêssemos. Por vezes, alugava uma casa numa praia paradisíaca e passávamos o fim de ano com ela. No ano 2000, fez um réveillon em Angra, numa casa alugada. Virada do milênio. Três filhas moravam na Europa. Vieram todas, com os maridos e filhos. Aniversários, com ela! Páscoa, com ela! Por mais jovial e libertária que houvesse se tornado, não abriu mão das tradições de uma família italiana, que quer todos próximos. E ninguém ousava discutir ou negociar tais regras. A comida? Ela preparava. Ela cozinhava. E muito bem. Com um livro de receitas que é uma preciosidade guardada como um tesouro familiar. Até sorvete italiano fazia, hoje imitado pelas minhas tias, suas irmãs. Seu marrom--glacê era um clássico. Sua mousse de aipo, tinha que ter em todos os finais de ano. E o suflê...

Já falei do suflê?

O choro final

Quem era meu pai? Por que a tortura foi tão violenta? Falo de décadas de mistério. O que aconteceu, como?

A imprensa, com o tempo, com o fim da censura, passou a trazer histórias, depoimentos. Quando Brizola foi eleito governador do Rio, iniciou uma grande escavação no Recreio, para achar a ossada supostamente enterrada lá. Foram meses de escavação em 1987, depois que Nilo Batista, secretário de Segurança, recebeu uma carta anônima. Nada.

Então veio o depoimento-bomba do médico Amílcar Lobo, que atendia no DOI-Codi. Era daqueles que atestavam se o preso conseguiria ser mais torturado. Arrependido, confessou para a *Veja* que atendeu meu pai de madrugada. Em dois depoimentos prestados entre 1986 e 1987, afirmou ter sido chamado numa madrugada de janeiro de 1971 para atender um preso recolhido no DOI, que conseguiu apenas balbuciar, por duas vezes, o nome: Rubens Paiva. Com hemorragias internas, numa poça de sangue, repetindo o nome. Praticamente morto. Ele soube no dia seguinte que o "paciente não resistiu".

Minha mãe chegou a anunciar que iria se encontrar com Lobo no dia em que ele fosse depor na PF do Rio.

Não sei como teria coragem. Não foi. Declarou aos jornalistas que só agora, quinze anos depois do desaparecimento do marido, pôde "caracterizar sua condição de viúva".

Em 1987, o procurador-geral da Justiça Militar, Francisco Leite Chaves, responsabilizou cinco militares pela morte de Rubens Paiva: Ronald José da Motta Batista Leão, João Câmara Gomes Carneiro, Ariedisse Barbosa Torres, Riscala Corbage e Eduardo Ribeiro Nunes. Todos negaram. Minha mãe declarou a jornalistas:

> No começo, ainda havia esperanças do Rubens voltar. Mas o tempo foi passando, fui conhecendo outros casos de pessoas desaparecidas e fui aos poucos me conformando. Mas eu sempre quis saber como aconteceu. Eu nunca desisti de buscar os assassinos e esclarecer o caso. Para nós, o caso está encerrado apenas no sentido de saber o que aconteceu e desmistificar a versão oficial de que ele havia fugido. Ainda falta descobrir e julgar os verdadeiros culpados e encontrar os restos mortais. As Forças Armadas deveriam lutar pelo esclarecimento do caso. O que você acha de haver um general assassino?

Em 1988, ela surpreendeu. Enquanto Amílcar Lobo sofria um linchamento público e o Conselho Regional de Medicina de Rio de Janeiro cassou sua licença médica, ela declarou conflituosamente:

> Essa decisão do CRM do Rio de Janeiro em nada atinge o caso, que continua sem resolução oficial. Ele pediu para que o Rubens fosse mandado para um hospital, porque estava mal depois das torturas. Mas os torturadores não obedeceram. Há pressões das Forças Armadas para que o caso não se resolva.

Conhecendo a minha mãe, tinha uma esperteza aí. O que nos interessava? Que Lobo abrisse o bico, falasse mais, desse nomes, apontasse culpados e, enfim, revelasse o lugar onde estaria a ossada. Perdoá-lo seria ganhar um aliado, trazer para o nosso lado. Lobo era o primeiro de dentro do regime a falar. Quem sabe outros se sentiriam encorajados. Deu certo. Ele falou tudo o que sabia, sentiu-se encorajado, até escreveu um livro com detalhes. Mas ele não sabia tanto assim. Era uma personagem secundária na máquina de triturar ossos. Morreu poucos anos depois.

Jogar com chantagem emocional era uma forma de lutar. Queríamos gente de dentro falando. Sabíamos que muitos viram, muitos sabiam e nem todos concordavam com os métodos aplicados. Mas tinham medo. A máquina da repressão estava intacta. Era eficiente. Eliminava arquivos sem deixar suspeitas. A máquina precisa sobreviver. A máquina é quem manda no Estado. Uma vez, um oficial me ligou, tinha presenciado a tortura do meu pai, queria me contar tudo. Morava em Guaratinguetá. Avisei ao Pedro Bial, que fazia uma matéria para o *Fantástico* sobre o caso. Vamos juntos. Misteriosamente, o cara sofreu um derrame quando marcamos o encontro. Coincidentemente. Apagou. Queima de arquivo?

As informações que temos não foram esclarecidas em meses, mas em anos. Encontrei Heleninha Bocayuva, um dos pivôs da prisão do meu pai, que me contou que, depois do sequestro do embaixador americano, o nome dela, que foi fiadora da casa que serviu de cativeiro, caiu. Meu pai a escondeu num apê em São Paulo. Ficou clandestina meses nesse apê. Ele a visitava eventualmente, levava mantimentos. Até conseguir tirá-la do Brasil pela rota do Chile. Era dela uma das cartas apreendidas no Galeão.

Alguns acreditam que a violência da tortura estava relacionada com a CPI de que meu pai foi relator quando deputado, em 1963, que descobria o dinheiro americano recebido por deputados e golpistas para derrubar o governo Jango. Denunciou no Congresso generais que receberam dinheiro da Casa Branca para preparar o golpe. Outros acreditam que ele tinha informações sobre "Adriano", codinome de Carlos Alberto Muniz, líder do MR-8 e contato de Carlos Lamarca, à época o homem mais procurado do país.

Mas, para Riscala Corbage, vulgo dr. Nagib, da Subseção de Interrogatório do DOI da época: "O Rubens Paiva só tinha um significado para o CIE. Era controlar a correspondência, o leva e traz da correspondência pro Chile e pra Cuba".

Na adolescência, eu insistia com a minha mãe, conta a verdade, o que aconteceu, por que ele foi preso, por que nunca podemos tocar no assunto. Ela se levantava e saía da mesa. Porque talvez não soubesse. Porque talvez ninguém soubesse. Ela não gostava que se falasse dele, dela, do inferno que viveram, das relações dele com a esquerda armada. Para ela, ele era um político cassado que foi preso por ajudar a filha de um amigo, jovem que enviou uma carta de agradecimento do Chile e, por descuido da organização, foi interceptada. Para ela, a versão de alguém que nem participava da luta armada, ou da subversão, ou do terror, ser torturado daquele jeito era a prova de que a ditadura fazia mal a todos, ao conjunto, ao regime cassado por milicos. Nunca quis discutir se havia indícios de que ele estivesse ligado, de alguma maneira, a organizações de esquerda. Apesar de hospedarmos figuras suspeitas do PCB numa emergência. Apesar das viagens dele ao Chile, ao Uruguai. Apesar de ele rir quando os telejornais diziam que o embaixador suíço sofrera maus-tratos. Apesar da viagem que fizeram a Moscou, dos encontros com estudantes exilados em Paris e na Universidade Patrice Lumumba, a Universidade Russa da Amizade dos Povos. Para a minha mãe, meu pai deixara de fazer política em 9 de abril de 1964, quando foi cassado e exilado.

Minha dissertação de mestrado foi sobre a luta armada. Entrevistei muitos que participaram, dos dois lados. Li de tudo. Relato de presos que estiveram no mesmo DOI-Codi, no mesmo período. O último livro que li foi justamente o do Amílcar Lobo. O trocadilho do título é infame: *A hora do Lobo*. Lá estava a descrição em detalhes da morte do meu pai na contracapa. Caí num choro incontrolável. Coitado, coitado... Eu não tinha percebido, mas estava evidente: minha pesquisa do mestrado, de 1991 a 1995, era uma busca pelo que tinha acontecido com meu pai. Eu não percebia, mas era evidente: eu o pesquisava através de outros relatos, outros personagens, sobreviventes. Entendi então por que minha mãe e irmã tinham sido presas um dia depois. E tomei um susto enorme.

Em 1996, FHC a chamou para a Comissão de Mortos e Desaparecidos, que julgaria casos pendentes e até politicamente delicados, como as mortes de Lamarca e Marighella, e indenizaria famílias vítimas da ditadura. Curiosamente, minha mãe abriu mão da indenização de 100 mil reais oferecida pelo Estado pela Lei 9140. Tentou julgar com a isenção de uma bacharel e "especialista" cada caso que aparecia. Conseguiu por uns meses. Mas pediu afastamento. Aquilo mexia com ela. Ler e ouvir relatos de tortura... Ali tinha um ser endurecido que não era de aço. Como uma calda de açúcar queimado.

Em 1996, no dia em que pegamos o atestado de óbito do meu pai no cartório da praça da Sé, fomos para a casa dela. Sentamos à mesa, com o documento na mão. Olhando um para o outro. Comecei a falar dele. Pela primeira vez, em anos, ela não me interrompeu. Me deixou falar. Contei coisas que descobri. Coisas que ela certamente sabia, mas não fuxicava. Entrei em detalhes. Narrei cenas de que sempre nos censuramos. DOI-Codi, 20 de janeiro, 21 de janeiro, 22 de janeiro... Por que Eliana foi presa e solta um dia depois? Por que você ficou presa ainda nos dias 23, 24, 25, 26, 27, 28, 29, 30, 31 de janeiro, 1º, 2 de fevereiro?

Na sede do DOI do I Exército ficava o Centro de Informações do Exército (CIE), órgão de inteligência subordinado diretamente ao ministro do Exército. A Aeronáutica tinha o Cisa. A Marinha, o Cenimar. Mas quem mandava era o CIE. Mandava no DOI, no Cisa, no Cenimar, no Pelotão de Investigações Criminais (PIC), que trabalhavam para o DOI, até no antigo Dops. Ninguém brincava com o CIE. O CIE era a ditadura no controle. O CIE era o poder. Acima dele, o presidente.

De acordo com o oficial do PIC, Armando Avólio Filho, em depoimento que está no site do MPF: "O Cisa trouxe Rubens Paiva para o DOI durante a noite. Já havia terminado o expediente no batalhão e, como de costume, eu já tinha ido para casa. Fiquei sabendo dessa chegada no dia seguinte pelos comentários ouvidos".

Raymundo Ronaldo Campos, do DOI, disse para os promotores federais: "Nunca vi o deputado Rubens Paiva, nem sei como ele era. Eu vou contar como foi a história. Ele foi preso, segundo disseram depois, pela Força Aérea. Eu não vi! Foi à noite... Ele foi preso e levado lá pra dentro... Depois disseram... Foi preso pela Aeronáutica... Esse burburinho que poderia ocorrer era lá na Seção de Interrogatório, que era muito distante e eu não tinha acesso. Que era em outro prédio, onde ficava o PIC".

Na prática, disse Riscala Corbage, "todo preso que vinha a nível nacional era entregue ao CIE". O ex-preso político Edson de Medeiros se lembra de que viu entrarem na cela do meu pai três ou quatro oficiais do Exército, que aparentavam estar muito nervosos e agitados. Ouviu também uma parte do diálogo: "São ordens de Brasília, telefonaram de Brasília". A impressão que se tinha era de que a frase "são ordens de Brasília" era proferida para ninguém se meter ou se preocupar com aquele preso. Depois, os oficiais saíram da cela bastante agitados.

Isso tudo aconteceu na tarde do dia 20 de janeiro. Marilene Corona Franco, presa com meu pai, disse ao MPF: "O outro interrogador era um homem loiro com cabelo estilo militar e muito agressivo. Esse homem inclusive chegou a se esfregar sexualmente em mim". Olhando fotos, ela confirmou que o interrogador se assemelhava ao tenente Antônio Fernando Hughes de Carvalho.

Ainda no dia 20, acusam os promotores do MPF, os agentes do CIE Rubens Paim Sampaio e Freddie Perdigão Pereira foram às dependências do DOI para extrair do meu pai informações sobre o destinatário final dos papéis e cartas que vieram do Chile. Eles impediram a entrada na sala do chefe da 2ª Seção do I BPE, Ronald José Motta Batista Leão.

Segundo Leão, o preso estava sendo torturado. "Ao tomar conhecimento do fato, da chegada de um preso à noite, procurei me certificar do que se tratava, mas fui impedido pelo pessoal do CIE, major Rubens Paim e capitão Perdigão, sob alegação de que era um preso importante, sob responsabilidade do CIE. Alertei ao comando e fui para casa."

Meu pai pedia remédios e água. Durante a madrugada, não deixaram ele dormir, pois periodicamente passava um soldado, iluminava o interior da solitária e exigia que o preso falasse o nome. O emprego de tortura contra ele continuou até o final da tarde do dia 21. Foi quando o comandante do PIC, Armando Avólio Filho, viu Antônio Fernando Hughes de Carvalho "empregar violenta tortura contra ele". Avólio conta que noticiou o fato ao chefe da 2ª Seção do Batalhão, Ronald Leão. Ambos se dirigiram à sala do comandante do DOI, José Antonio Nogueira Belham, e comunicaram pessoalmente que Hughes estava matando o preso. A mesma comunicação foi feita ao comandante do I BPE, coronel Ney Fernandes Antunes.

Em 21 de janeiro, minha mãe e irmã chegaram ao DOI no final da manhã. Ficaram encapuzadas sentadas num banquinho.

Você sabe, mamãe, por que foram levadas ao DOI? Ele não falava nada. Repetia o nome. Foi torturado no dia 20. Nada. Retomaram no dia 21. Com a filha e a mulher encapuzadas, sentadas num banquinho. Será que ele viu vocês? Como ele reagiria? O que ele faria, para impedir que encostassem em vocês? Qual era a saída? A única saída?

Naquela tarde que pegamos o atestado de óbito, em 1996, vi minha mãe então chorar como nunca fizera antes. Era um urro. Não tinha lágrimas. Como se um monstro invisível saísse da sua boca: uma alma. Um urro grave, longo, ininterrupto. Como se há muito ela quisesse expelir. Pela primeira vez, me deixou falar, sem me interromper. Pela primeira vez, na minha frente, chorou tudo o que havia segurado, tudo o que reprimiu, tudo o que quis. Foi um choro de vinte e cinco anos em minutos. O rompimento de uma represa.

O alemão impronunciável

Em 1999, quando fez setenta anos, minha mãe surpreendeu a família. Anunciou que se aposentaria e se mudaria para uma praia. Mais uma Eunice se remontava dos cacos. Vivia um momento pessoal único: filhos crescidos, missão cumprida, dinheiro na conta, bens, netos, não devia nada a ninguém e tinha uma boa aposentadoria. Com o atestado de óbito do meu pai, pôde concluir os inventários dos meus avós Paiva, pais do meu pai, que morreram anos depois dele, e do próprio. Pôde tocar um processo contra a União para receber o seguro de vida, uma pensão e os salários atrasados, ação civil que corria no Rio.

Mas advogado não se aposenta da noite para o dia. Algumas ações ainda corriam na Justiça. Alguns recursos. Sua solução foi pragmática: deixava São Paulo aos poucos e passaria cada vez mais dias na praia. Que praia?

Pensou no litoral norte de São Paulo: Juqueí, onde morava sua irmã Tory; Ubatuba, onde tínhamos um terreno na paradisíaca Itamambuca; Santos, onde passou a vida toda em férias; Guarujá, perto de São Paulo... Chegou a visitar as cidades. Assustou-se com o trânsito e a muvuca de fim de semana. Se decepcionou com a falta de infra para velhos. Tomou então uma decisão corajosa e incrível: vou voltar para o Rio de Janeiro. Claro. Por um período, foi tão feliz lá. Foi onde teve a vida interrompida. Foi onde o tempo parou e se perdeu, seguiu uma rota imprevisível. Tenho setenta anos. Meus traumas estão solidificados. Meus pesadelos rareiam. Sou a mesma, e outra. No mais, amo esta maresia, este cheiro de mangue aterrado, este calor, o som do mar do Leblon, o formato das ilhas Cagarras, o mate com limão, a água de coco, a areia, meus pés na areia, a imprevisibilidade da meteorologia, o dia de sol, a manhã nublada, o vento que leva areia, a tempestade tropical, o Cristo Redentor, a mata nas montanhas, a pedra, a Lagoa, o chão coberto por folhas das amendoeiras, mangueiras, jaqueiras, figueiras italianas grossas ocupando toda a calçada, as figueiras microcarpas, religiosas, flamboyants, tipuanas, os coqueiros da areia, as palmeiras imperiais do Jardim Botânico e do Palácio do Catete, trazidas por dom João VI, o resistente pau-brasil do parque da Catacumba, os humores do Jardim de Alá, por vezes com uma água verde-pérola, por vezes poluído e fedido, o mar de tombo, o mar de ressaca, o mar com correnteza, o mar piscina, calmo, os eventuais golfinhos, as eventuais arraias gigantes e baleias que saltam, os meninos do Rio, a carioca sangue bom, a ginástica na orla, as bikes, os skates, os bebês do Baixo Bebê, as calçadas planas, largas, da Zona Sul, as livrarias, as amiguinhas.

Comprou um apartamento no condomínio Selva de Pedra, no Leblon, a uma quadra da Lagoa, a duas de Ipanema. Justamente no condomínio em que praticamente só morava milico, construído sobre os escombros da favela do Pinto, incendiada em 1969. Imaginei encontrar majores e capitães na reserva pelos elevadores. Imaginei que se cumprimentariam com educação. Sim, foi o que aconteceu.

Comprou no décimo sétimo andar, o mais alto, de um prédio em que moraram capitães e majores. Alguns moravam lá ainda. Da janela, dizia, dá para ver o mar. De fato. Apesar de estarmos a cinco quadras da praia, é um dos prédios mais altos do Leblon. Da janela, vê-se uma pequenina faixa azul. O mar! E a pedra dos Dois Irmãos. Da janela da sala, veem-se o Jockey e a Lagoa. Se esticamos a cabeça para fora, vemos o Cristo. Decretado, vou morar aqui, envelhecer aqui, neste três quartos pequeno, morrer aqui. Minhas filhas que moram fora podem me visitar. Meus netos também. Deixarei dois quartos para hóspedes. Se precisar ir para São Paulo, vou de Vasp. A passagem está oitenta reais. E, a cada nove viagens, a décima é de graça.

Em 2000, mudou-se sem se desfazer ainda do apê de São Paulo. No começo, passava dez dias no Rio, vinte em São Paulo. Aos poucos, a matemática se inverteu. Trocou móveis praianos improvisados por uma decoração leve, móveis de juta, ar-condicionado na sala, TV a cabo, internet. Aos poucos, começou a se irritar com a presença de filhos e netos, dividir a rotina, algo que ela não dividia havia décadas. Sentiu-se invadida. Metódica, quase obsessiva, fazia o mesmo caminho para ir à praia, sentava-se na mesma barraca, em frente à casa em que morou por seis anos e foi feliz, casa em que fomos presos e não existe mais, em que organizou a rede de vôlei em 1970, que tinha Marieta Severo e Chico Buarque como frequentadores, na Delfim Moreira, sua Delfim Moreira. Ficava a poucos metros de onde ficava com meu pai quarenta anos antes e não abria mão do seu mate, como há quarenta anos, do mergulhinho no mar em que meu pai tantas vezes nadou.

Estava radiante e novamente magra e queimada do sol. E irritadiça, pois não queríamos ficar naquela faixa de areia, mas circular, não queríamos ir pela praça, mas pela Fadel Fadel e comprar jornais paulistas na banca, não queríamos almoçar ao meio-dia e meia, encontraríamos amigos no BG, Bar Lagoa, Academia da Cachaça, Jobi, Braca, sei lá, ou lancharíamos rápido no Bibi Sucos ou no Big Polis, ou talvez nem jantaríamos. Estávamos de férias. Ela, na casa dela. Um dia, desabafou: disse que deixaria aquele apartamento para nós, os filhos e netos, insensíveis intrusos, venderia o seu de São Paulo e compraria outro só para ela. No Leblon, claro. O que não chegou a fazer.

Fazia amigos: o cara da barraca, os porteiros, o encanador (que no Rio é bombeiro), o cara da banca, o chaveiro. Durante uns cinco anos, podemos considerar que viveu lá de novo. Até hoje, quando ando pelas ruas do Selva de Pedra, muita gente vem falar comigo, perguntar dela, mandar lembranças. Param o que estão fazendo, atravessam as ruas para saber dela. O chaveiro, que tem um quiosque numa esquina, sempre emocionado:

— Mande lembranças pra sua mamãezinha, ela falava sempre de você, tinha muito orgulho de você.

Scott Fitzgerald dizia que não há segundo ato na vida dos americanos. Então começou o quarto ato da vida da minha mãe. O mais injusto, cruel, definitivo, que deu densidade à sua tragédia.

Até então, acreditava-se que a memória era compartimentalizada num reservatório, numa parte do cérebro, que os pensamentos a elaboravam, a interpretavam e a engavetavam por lá. Sabemos agora que não. Ela não fica armazenada em uma seção exclusiva, mas espalhada pelo cérebro todo, vive em sinais e impulsos eletromagnéticos. As lembranças se movem pelo cérebro. Não à deriva, pois a qualquer momento neurônios constroem milhões de novas conexões e as resgatam. O circuito neurológico se modifica a cada segundo. Somos diferentes em cada instante que vivemos. Temos um cérebro diferente a cada segundo. E quando lembramos algo, as conexões mudam fisicamente a memória de lugar.

Trocar os nomes dos filhos, ela sempre trocou. Como qualquer mãe que tem cinco filhos e pensa em cinco coisas ao mesmo tempo. Esquecer o que estava fazendo, normal. Quem nunca esqueceu. Uma amiga que se hospedou conosco no Rio me perguntou confidencialmente:

— Sua mãe tem Alzheimer?

Ri, surpreso. Era como se perguntasse se minha mãe era astronauta e estivera nas missões Apollo. De onde você tirou isso? Olha, chequem direito, cuido da minha avó, que tem Alzheimer, estudei tudo da doença, sua mãe não está distraída, ela pode ter começado a desenvolver a doença.

Estranhamente, Nalu, que tinha passado uns dias com ela, reparou que ela estava confusa com contas e dinheiro, atrapalhava-se com algo com que era profundamente precavida. Nos avisou, antes de voltar pra Paris:

— Mamãe está tão estranha...

E estava mesmo. Certa vez, a vizinha da porta da frente do Rio contou que estava saindo, chamou o elevador, minha mãe a viu, papeou com ela, o elevador chegou, minha mãe falou que ia descer com ela. Só que estava de camisola. A vizinha a alertou. Ela ficou sem graça e disse que havia desistido de descer. A vizinha nos avisou.

— Sua mãe não está bem.

Começou a ficar confusa com procedimentos de viagem, cartão de crédito, cartão de embarque, bagagem, tíquete, portão, embarque, procedimentos de voo, portas em automático, apertem os cintos, poltronas na vertical e mesinhas guardadas, no caso de despressurização da aeronave... Lembramos que não é permitido fumar nos lavatórios. Taxiando, aqui é o comandante, nosso tempo de voo... Decolagem, serviço de bordo, Coca Diet? Guaraná? Com gelo ou sem? Pouso autorizado... Desembarque autorizado. Não se esqueçam das bagagens de mão. Conexão? Mala na esteira. Táxi, senhora? Os amarelos são comuns. Azuis, vermelhos e verdes, especiais, de frota. Qual caminho, pela orla ou pelo Humaitá?

Passou a vir do Rio e voltar para lá guiando, sozinha. Seis horas de estrada num Escortinho 1.0 sem ar-condicionado. Por vezes, com pressa, aflita para chegar logo, nem parava. Numa dessas, desmaiou assim que entrou no apê carioca. Sozinha. Desidratada. O que a assustou. Não estou bem.

Não, não estava. Comprou duas televisões de uma vez numa loja, sendo que não precisava de nenhuma. Ela mudou de canal no aparelho de TV, não no de TV a cabo, e apareciam apenas imagens com riscos e chiados. Foi na loja, comprou uma TV nova. No caixa, perguntou:

— O que vim mesmo fazer aqui?

Comprar uma TV, lembraram. Ela foi ao balcão e comprou outra. Com três TVs funcionando em casa, percebeu que começava a entrar em roubadas.

Cuidado com a indústria de aproveitadores de portadores de demência, nos alertou um médico amigo. Não é possível, minha mãe tem uma demência? Depois de tudo o que passou? Justamente agora, quando ia curtir a velhice com dignidade, independência, conforto, situação financeira estável, na cidade mais linda do mundo? Como Deus pode ser tão imprudente e imputar tanto sofrimento a uma pessoa só? Essa doença não era para acontecer, não tinha que acontecer, não nela! Por que provação mais a minha família devia passar? Por que nos testavam até o limite? Chega! Queríamos um descanso.

Não teríamos.

Dizem que o Alzheimer é causado pela morte de pequenas células do cérebro. O nome vem do médico Alois Alzheimer, o primeiro a descrever a doença, em 1906. Ele viu as alterações no cérebro de uma paciente de cinquenta e cinco anos durante a autópsia. Falam da falta de uma proteína que faz as ligações nervosas (as principais alterações são o aparecimento de placas senis no cérebro, decorrentes do depósito da proteína beta-amiloide, e um emaranhado de neurofibrilares, resultado da hiperfosforilação da proteína Tau). A cada semana, novas descobertas sobre a doença que se torna uma epidemia dos tempos modernos. Perdem-se as funções cognitivas, memória, orientação, atenção, linguagem. Perdem-se os sentidos, a degustação, o olfato. Pacientes param de andar, porque se esquecem de como se anda. No final, param de comer, porque se esquecem de como é engolir. Há redução de neurônios e das sinapses, as ligações entre células do cérebro. O volume cerebral se reduz. Muitas velhinhas gagás, esclerosadas do passado, na verdade tinham Alzheimer. O paciente está com a doença há tempos, mas só a descobre tarde demais, na fase demencial, e não há como retroceder, apenas como retardar. Ela começa aos poucos, como numa escada, desce bruscamente de degraus, chega inexoravelmente numa outra fase, sempre pior que a anterior.

Drauzio Varella estima que dez por cento das pessoas com mais de sessenta e cinco anos e vinte e cinco por cento daquelas com mais de oitenta e cinco anos podem apresentar sintomas da demência. O tempo de sobrevida é incerto. Genético? Ninguém sabe. Sedentarismo? Já alertei: afinal, o cérebro, como todo o corpo, precisa de atividade, oxigênio, para viver bem. Fumo e tabaco podem ser uma causa. Poluição das grandes cidades também. Outros atribuem às frequências e ondas de rádio que estão em toda parte. Minha mãe morava a quadras da avenida Paulista, onde ficam as torres da maioria das emissoras de rádio e televisão, fumou Parliament durante décadas. Não comia muito. Era fã de saladas e laranjas. Falava várias línguas. Exercitava o cérebro diariamente. Lia de tudo. Andava pelo bairro, mas exercícios...

Drauzio dividiu a doença em:

Estágio I (forma inicial): — Alterações na memória, na personalidade e nas habilidades espaciais e visuais.

Estágio II (forma moderada): — Dificuldade para falar, realizar tarefas simples e coordenar movimentos; agitação e insônia.

Estágio III (forma grave): — Resistência à execução de tarefas diárias, incontinência urinária e fecal, dificuldade para comer, deficiência motora progressiva.

Estágio IV (terminal): — Restrição ao leito, mutismo, dor à deglutição, infecções intercorrentes.

Eu, como "familiar", acrescentaria:

Estágio I: Alterações na memória, início do inexplicável, do contrassenso, revolta em todos, não é justo, não é justo, reorganização dos papéis dos filhos, não temos mais uma mãe, mas teremos de ser uma; a dificuldade da paciente em assumir a doença e limitar as atividades, teimosia entra em campo, não quero, não vou, mudança do paladar, tudo está uma porcaria, sem sal, sem gosto, sem açúcar, tudo está malfeito, está um barulho infernal, aquelas pessoas não param de falar, estão gritando, calem a boca!

Nesse período, a paciente faz de tudo, mas não registra com precisão. Lê com dificuldade textos longos, mas ainda lê jornal. Vai ao banco, à farmácia, vai ao cinema.

Ela voltou para os Jardins, o apê que ainda mantinha em São Paulo, voltou a ficar mais tempo nele do que no Rio; os filhos, em Perdizes. O médico nos disse: mudem-na para perto de vocês. Como mudar alguém que perde a memória de um lugar em que vive há trinta anos, chama o cara da banca de Portuga, pendura fiado na padoca, vai a pé à farmácia, ao banco, às lojas de congelados, compra Parliament no boteco da esquina, para um lugar desconhecido? Aí está o paradoxo, se ela ainda tem capacidade de memorizar, é bom mudar agora, para aprender a se virar no bairro novo, socializar-se enquanto ainda tem capacidade cognitiva, comunicar-se, interagir.

Na entrevista com o médico, ela surpreendeu. Depois do teste do relógio (desenhar um relógio, os números de um a doze e os ponteiros; o paciente com Alzheimer se atrapalha, escreve os números fora da ordem correta, às vezes de um a dez, ou desenha ponteiros do mesmo tamanho), teste mais primário e conhecido de neurologistas e geriatras, que ela não acertou. O médico perguntou como se sentia:

— Estou ótima, tenho ido muito ao Rio, temos um apartamento ótimo lá, com vista para o mar, tenho me sentido muito bem ultimamente.

— Mamãe, faz mais de um ano que você não vai ao Rio — comentou Veroca, que estava com ela.

— Vou, sim, vou direto, tenho me sentido muito bem ultimamente.

Não somos nada sem o outro. Num registro pequeno de lucidez, mora ainda a necessidade de sedução, de agradar, de ser agradável. O médico percebeu, claro. E disse, emocionando a filha:

— A inteligência tem a capacidade de surpreender e se readaptar a todas as situações.

Ser cuidada por nós a aliviava. Receber atenção dos filhos, de profissionais, deixava-a feliz. Em alguns momentos, se esquecia de que tinha a doença do esquecimento.

Em 25 de abril de 2004, ela estava bem. Lúcida. Sem nenhuma dificuldade para andar. Na edição da *Folha* dos vinte anos das Diretas Já, os artistas e intelectuais voltaram ao heliporto do jornal, onde haviam posado para a famosa foto de 1984. Ela foi. E sorriu.

7 de outubro de 2006. A morte do amigo Fernando Gasparian, aos setenta e seis anos de idade, foi um baque. Gaspa era seu amigo, antes de se tornar o melhor amigo do meu pai. Tinham a mesma idade, as mesmas ideias, os mesmos costumes. Por causa de Gaspa, nos mudamos para o Rio. Estudamos nas mesmas escolas dos filhos dele. Os dois eram unha e carne. Talvez, se meu pai estivesse vivo, estaria também morrendo naquele ano de 2006. Fumante e sedentário. Agora, sim, ela seria viúva. Gaspa deixou tia Dalva viúva. Os filhos, órfãos. Um legado de respeito na política e no jornalismo, na Editora Paz e Terra e nos negócios. Engenheiro do Mackenzie, como meu pai. O velório foi em São Paulo, na Assembleia Legislativa, no salão principal, com honras de Estado. Minha mãe estava bem. Não estava triste. Estava estranhamente bem, reencontrava amigos, contava novidades. Como você está, Eunice? Estou ótima. Estava serena. Pés no chão. É a vida. Vai nos levar também. Logo, logo iremos todos. Vivemos e partiremos. Estava feliz de rever tantos amigos. De papear, saber as novidades. Foi o últi-

mo velório a que compareceu. Foi a última vez que viu a maioria dos amigos. Que rendeu homenagens ao passado, à memória, à vida.

Finalmente, decidiu vender todos os quadros. Quadros que com meu pai colecionou por toda a vida. Chegou a chamar Cacau, uma amiga antiga nossa, de quem fez o divórcio, que catalogou, ofereceu a um marchand, que se interessou. Na última hora, desistiu. Vendeu apenas um, pois se surpreendeu com o preço oferecido, ela não dava nada por ele, e precisava fazer caixa, pois não conseguíamos vender seu antigo apê dos Jardins, com apenas UMA vaga na garagem, o que nenhum paulistano quer. Decidiu então onde pendurar cada quadro no apê novo, a cor da parede, a reforma, fez tudo do seu jeito, com a autoridade que não ousávamos desafiar.

Mudamos. Que guerra. Odiou tudo. O novo bairro, a nova padoca, a nova esquina, o ponto de táxi, o banco ruim, a farmácia sem concorrência. Passou a morar num apê menor, mais aconchegante, com uma das melhores vistas de São Paulo e duas varandas: veem-se de lá a Cantareira, Guarulhos, Jaraguá, Osasco, até a USP. Mais silencioso e menos poluído do que os Jardins. Odiou tudo.

E não era o Rio, não tinha a vista do mar e da Lagoa.

Na mudança, fez coisas inexplicáveis, como jogar todos os papéis e processos arquivados fora. Ódio por ter se aposentado na marra. Ódio por não poder ler processos, acompanhar suas ações. E mandou doar todos os livros, os mais de cinco mil livros, muitos deles com o nome do meu pai na lombada encadernada, muitos deles lidos por meu pai, sublinhados e com anotações à caneta, livros de arte, de direito, todos os prêmio Nobel, enciclo-

pédias, literatura russa, francesa, americana, brasileira...
Doei tudo para a Biblioteca Municipal de Diadema, que
precisou de dois carretos para levar.

Ela ficou apenas com dois livros, um *Feliz ano
velho* em alemão e a Bíblia.

Sua rotina era banal. Lia jornal todas as manhãs,
como em toda a vida, comia pão francês fresco, como em
toda a vida, congelados, fazia a feira em frente, pedia comida da lanchonete do prédio, dava um rolê pelo bairro
e odiava tudo. Íamos ao cinema. Conseguia acompanhar
uma trama, contanto que não fosse um David Lynch. Preferia as comédias infantilizadas. Ria do trailer animado em
que pipocas ganham vida para pedir para não fumarmos
e desligarmos os celulares etc., que nos tratam como loucos que não sabem que não se pode fumar. E, num outro
filme, ria de novo do mesmo trailer animado, das mesmas
pipocas que falam. Uma semana depois, em outro lançamento, ria de novo daquelas pipocas falantes. Como se as
visse pela primeira vez. Como uma piada nunca contada.

Na sua casa, tudo era identificado. Colocou post-
-its em gavetas, embrulhos, tupperwares. Gaveta disso e
daquilo, armário com isso e aquilo.

Comer fora era um problema. Ficava revoltada
que em alguns pratos não vinha arroz. Mas, mãe, na la-
sanha não vem arroz. Nhoque não vem com arroz. Você
pediu filé com fritas, não vem arroz. E lá íamos nós à
cozinha pedir encarecidamente uma porção de arroz, que
depois ela reclamava que estava sem sal e praticamente
descarregava o saleiro nele, no "des-gra-ça-do!" do arroz.

O mau humor acirrava. Passou a andar com uma
caderneta. Enquanto almoçávamos, ela anotava algo
na caderneta. Perguntávamos o que era. Ela perguntava
o nome e endereço do restaurante. Anotava e dizia que

nunca mais colocaria os pés naquele lugar, que a comida era uma "por-ca-ri-a"!

No início, nos afligia, nos entristecia não satisfazê-la. Tudo era uma "por-ca-ri-a". O que fazer com ela? Os almoços se tornavam um tormento, reclamava, às vezes gritava, às vezes pedia silêncio, em pleno restaurante "des-gra-ça-do!". Chegou a brigar com moradores que jogavam truco na lanchonete do prédio. Mas, naquele caso, foi apoiada. Eram moradores antigos que passavam o fim de semana com uma garrafa de uísque na mesa, jogando truco aos berros, xingando, falando merda na lanchonete da piscina com crianças. A briga ficou famosa. Ganhou respeito dos porteiros e de outros moradores. Muitos não aguentavam aquele truco desbocado. O fato é que uma tradição de anos foi rompida. Aqueles moradores nunca mais jogaram truco. Não na lanchonete da piscina.

Por vezes, a agressividade era contra nós. Exatamente quem cuidava dela, quem deixava de fazer coisas por ela, quem abria mão de viagens e trabalhos por ela, quem se sacrificava por ela. É duro aprender que a agressividade não era contra um filho ou por algo de errado que havíamos feito. Era a doença que gritava. Era a doença que agia e a mobilizava. Os efeitos dela nos agrediam. Aceitar o mau humor como um efeito colateral da doença é um processo que demora. Anos. Sair com ela em público podia trazer problemas. Ela podia implicar com alguém.

— Por que está me olhado? Nha-nha-nha. Falem baixo, por favor! Não gosto dela. Não gosto de você.

Ou o grito que se tornava constante:

— Quero ir embora!

Não, não é sua mãe, é outra pessoa, sua mãe não diria aquilo, logo ela, Eunice, a rainha da etiqueta, do bom senso, da sobriedade, da educação. Não era mamãe me xingando, gritando comigo. Era a falta dela em seu próprio cérebro. Era ela ausente do seu corpo. Era o seu apagar que agia com brutalidade nos gestos e nas palavras.

E foi exatamente quem não era filho dela, meu cunhado Avelino, um carioca gozador, um dos que mais conviveu com ela, quem se tocou disso. Foi ele que passou a rir da agressividade. Passou a rir dela. Passou a concordar com ela. Sim, também quero ir embora, falem baixo, é uma por-ca-ri-a.

Concordar passou a ser o tranquilizante que faltava. Concordar era nosso remédio. Concordar acabava com a discussão. Ela se acalmava. Até ria. E pensava em outra coisa. Esse processo de convívio com o gênio instável, de altos e baixos e sem lógica, especialmente de alguém que seguiu a vida nos trilhos da lógica, e de como transformar a inconformidade em piada, foi um segredo que aprendemos quase casualmente com o tempo.

Tudo era uma "por-ca-ri-a". Tudo para nós passou a ser também uma "por-ca-ri-a". O almoço, o lanche, o bairro, o banco, uma "por-ca-ri-a"! Então entramos numa segunda fase do Alzheimer, quando não ligamos mais que tudo fosse uma "por-ca-ri-a", passamos a entender a doença, a separar a pessoa de antes e depois, a não levar as ofensas para o lado pessoal, e passamos a rir das situações.

Entramos no segundo estágio de uma doença que afeta a família toda. A família toda, todo o condomínio, o bairro todo.

Estágio II: Todos passam a saber que ela, aquela senhora do apartamento X, bloco I, precisa de atenção. Todos são avisados para olhar seus passos. Os seguranças e porteiros ficam de olho. Os vizinhos vigiam seus passos.

No banco, a gerente sabe que há ali quem não presta muita atenção, que merece cuidado redobrado.

Então, como por um milagre, a paciente aceita a doença, sua condição de ser cuidada, observada, controlada. Depois da quarta panela esquecida no fogo, de se perder na quadra, de comprar duas televisões, de não conseguir acompanhar nem as comédias fáceis em que a levam toda semana, de ter que ler cinco vezes a coluna do filho no jornal para entender mais ou menos o que ele quer dizer e de começar a se esquecer de nomes e rostos que ela sabe que conhece.

Irritava-se, numa época, porque todos chegavam uma hora atrasados nos eventos familiares, almoços e jantares. Estávamos sempre atrasados, a vida inteira chegávamos atrasados, que falta de consideração! Então alguém se lembrou:

— Mãe, você mudou os relógios para o horário de verão?

Não tinha mudado. Ela não lera que era horário de verão, que os relógios deveriam ser adiantados uma hora nas regiões Sul e Sudeste. Ficou envergonhada com a imprudência e nunca mais reclamou dos atrasos.

A essa altura, em 2008, ela já estava interditada temporariamente e, mesmo à revelia, com cuidadoras durante o dia. Como as insônias eram constantes, acordar no meio da noite era o verdadeiro pesadelo, pois ela não sabia onde estava. Passou a telefonar duas, três vezes para os filhos, na madrugada, para fazer perguntas banais.

Começou então a ter cuidadoras dia e noite, vinte e quatro horas por dia, sete dias da semana, trezentos e sessenta e cinco dias do ano.

Aceitou com resignação a doença. Tudo continuava uma por-ca-ri-a, sem gosto, sem sal, sem tempero, a conversa dos outros era um tormento, o barulho de uma TV sempre estava alto demais, começava o quero ir embora, vou embora, vou embora já!, tem que ser já!, agredia pessoas que amava, criticava.

Foi quando, pelo amor de deus, doutor, dá um antidepressivo para ela, um moderador de humor, um conhaque, qualquer coisa. Então o médico disse que tais medicamentos reduziriam a capacidade cognitiva já abalada. Mas viver assim, sempre num estresse, sem dormir? Pequeno conflito entre a visão clínica e a do dia a dia. O médico faz testes, a vê eventualmente e tem a literatura de uma doença que ainda é uma incógnita e não tem cura. A família sabe mais como o paciente reage. O tratamento é com remédios que minoram os sintomas, mas não existe cura.

— O maldito alemão — como dizia um vizinho dela, bem mais jovem, também com Alzheimer. Quando ele se esquecia de algo, falava:

— Me deixa em paz, alemão, sai!

Era muito mais bem-humorado do que ela. Era da mesa de truco. Fumava e bebia um bom uísque a tarde toda. Com ou sem o alemão impronunciável ao lado. Seria o meu tratamento, a minha prescrição, com um cigarrinho pra arrematar.

É uma doença que ataca toda a família. De repente, é preciso se reestruturar: alguém tem que cuidar dela, arrumar cuidadoras, registrá-las, internar ou não internar, levá-la ao dentista, ao cabeleireiro, à missa!

Sim, à missa!

Religiosamente, todos os domingos, às onze da manhã, na igreja do bairro. Minha mãe sempre gostou de missa. Voltou a ser católica praticante depois de velha.

No Rio, ia a pé, sozinha, à missa das seis da tarde de domingo de uma igreja da Ataulfo de Paiva, de casa ouvíamos o badalar dos sinos. Em São Paulo, ia com a Veroca. Às vezes de táxi, com outra de minhas irmãs. Ou uma cuidadora. Sem referendar o avô materno italiano, que cantava à mesa: "Quando l'anarchia verrà, tutto il mondo sarà trasformato e nei governi sarà il ricordo d'infame passato".

Minha mãe assistia à missa com uma visão crítica. Não falava do papa alemão, o mais reacionário dos últimos tempos, conservador que perseguiu teólogos da libertação e condenava até o uso da camisinha. Mas do padre que dizia "Senhor Jesus Cristo", as músicas novas, novos rituais litúrgicos, desnecessários, que afastavam seus líderes de seus seguidores.

— Jesus não era nenhum senhor, era um jovem! — ela dizia, irritada, toda vez que a liturgia repetia "Senhor Jesus Cristo". E dizia em alto e bom tom.

No Estágio II, a igreja fez bem a ela. Devolveu uma adolescência esquecida da escola católica em que estudou. Devolveu um conforto, uma paz. Ela fez amiguinhos. Não perdia uma missa. Com o tempo, parou de criticar e passou até a comungar. Sempre dava de cinquenta a cem reais para a igreja. Tínhamos que nos lembrar, sempre, de levar dinheiro para a doação. E Jesus Cristo passou a ser um senhor.

Mas, enfim, o bom senso venceu. Depois de eu insistir que algo tinha que ser feito para moderar seu humor, o médico concordou: ela entrou num bem-vindo antidepressivo clássico, o Donaren, um best-seller das farmácias. Que também ajuda a dormir. A fórmula que faltava, a magia perfeita.

Então chegou de repente a nova fase.

Estágio III: Aqui, Drauzio falou da resistência à execução de tarefas diárias. É um inferno. Quase um pesadelo, se não desenvolvermos uma placidez contrastante com o momento, se não levarmos as vontades de alguém com Alzheimer com humor. O.k., é a sua mãe, aquela a quem você obedeceu no começo da vida, por muitos anos, na sua formação. Não quero! Não vou! Quero ir embora, quero ir embora, quero ir embora!!! Como ninguém obedece, afinal está chovendo, está sem luz, a voz de comando não obedecida se torna surto. A pessoa se sente incapaz de comandar as vontades, de decidir por conta própria, de agir sem a interferência de uma equipe dominada pelos filhos, de muitos deles ela não lembra nem o nome.

Em seguida, aos poucos, a fera é domada. Com o tempo, o "quero ir embora" não é mais um grito, mas uma súplica baixinha. Quem são essas pessoas? São sua família, mãe. O que estou fazendo aqui? É seu aniversário, mãe. Onde estou? Na casa da sua filha, mãe. Quem são essas pessoas? Suas irmãs, seus sobrinhos, seus cunhados. O que estou fazendo aqui? Vamos cantar parabéns. Quero ir embora. Você não quer comer o bolo antes? Quero.

Com o tempo, passou a se submeter às ordens daqueles que cuidavam dela. Passou a confiar. Passou a ter uma relação de afeto com as cuidadoras.

Chegou a dificuldade de andar. Não era um problema na musculatura da perna. O cérebro se esquece de como é andar. Fisioterapia nela. Vamos, primeiro o pé esquerdo, depois o direito. Então, na marcha a caminho da casa da filha, a duas quadras, os passos se encurtavam, até ela estancar. Lembrava-se do que tinha dito o fisioterapeuta, passadas largas. Ela repetia, "passadas largas", e voltava a caminhar, com passos artificiais, como um robô, mas que a colocavam em movimento, e íamos repetindo passadas largas, passadas largas, passadas largas... Até chegar.

Meses depois, ela andava na ponta do pé e com apoio, apenas com apoio. Depois, andava só dentro de casa. Na rua, ia com a cadeira de rodas. Depois, enfim, ficava o dia inteiro na cadeira de rodas, uma cuja cor e modelo ela escolheu com a ajuda de uma fisioterapeuta; o físico estava indo antes da consciência.

Você se lembra de mim? No início, ela fazia um exercício de memória para se lembrar. Se não se lembrasse, ficava irritada, frustrada. Com o tempo, facilitou para todos e dizia, mentia, que se lembrava, claro. Até por fim encontrar a palavra certa, curta, simples, com a qual passou a se comunicar com o mundo por muito tempo: "É".

Você se lembra de mim?

— É.

Você está com fome?

— É.

Você está confortável?

— É.

Você que ir embora?

— É.

Acabou de comer?

— É.

Vamos dormir?

— Vamos.

A inteligência tem a capacidade de surpreender e se readaptar a todas as situações.

— É!

Muitos amigos se afastaram. Amigos se afastam em doenças da mente. Amigos que não sabem lidar com as dificuldades de amigos. Não sabiam se ela se lembraria, se estaria agressiva, se atrapalhariam. Alguns me ligavam. Claro, vai lá, ela vai gostar. Iam. E ela gostava.

Quem se reaproximou com força renovada foram as suas irmãs. Que trazem coisas de que ela gosta de comer, fazem questão de falar com ela, fotografarem-se anualmente na mesma posição em que foram fotografadas quando crianças. Os sobrinhos médicos passaram a ser seus médicos. A reunião anual da italianada, em seu aniversário e na véspera do Natal, ganhou até um termo: Facciollada! Homenageamos nossos antepassados, comemos receitas passadas de geração em geração, especialmente doces italianos que não se encontram mais em São Paulo, e fazemos disputa de quem consegue trazer uma torta de cebola, que era especialidade da minha avó Olga.

A dependência é total. É dependente para se vestir, se virar, se limpar, comer, ir da cama para a cadeira e vice-versa. Por vezes, damos o que ela mais gosta, sorvete no palito, o mais incrementado. Se não ficarmos atentos, ela se esquece de que tem na mão a coisa de que mais gosta, se esquece de levá-lo à boca, perde a concentração, e ele derrete. Por vezes, dorme enquanto almoçamos juntos. De repente, está acordada prestando atenção e solta uma frase que tem a ver com o que conversamos:

— Nada disso, é uma revista que é contra todos os governos!

E nos surpreendemos com aquele segundo de lucidez, em que um raciocínio se formou, e uma ideia, uma frase, uma tese, com começo, meio e fim, foi articulada com palavras precisas. Mas, se pedimos para ela continuar, ela sorri, perde-se de novo, e diz aquilo que se tornou a marca deste Estágio III:

— É.

Dicas iniciais do dr. Drauzio:

1. Fazer o portador de Alzheimer usar uma pulseira, colar ou outro adereço qualquer com dados de identificação (nome, endereço, telefone etc.) e as palavras "Memória prejudicada", porque um dos primeiros sintomas é o paciente perder a noção do lugar onde se encontra.

Eu escreveria PESSOA SEM MEMÓRIA. Nada de adoçar as palavras ou ser politicamente correto num momento de emergência. Minha mãe nunca se perdeu. Mas, quando saía do prédio, seguranças da rua ficavam de olho e se comunicavam. Com um desses seguranças, o mais forte, um brutamontes de dois metros de altura, ela estabeleceu uma relação de amizade peculiar. Chamava de Meu Homem de Preto, uma referência ao filme *Men in Black*, pois o cara tinha sempre um terno preto impecável. Era um armário. Tinha um rosto infantilizado e, por alguma razão, apegou-se demais à minha mãe. Vigiava seus passos, para a nossa sorte.

2. Estabelecer uma rotina diária e ajudar o doente a cumpri-la. Espalhar lembretes pela casa (apague a luz, feche a torneira, desligue a TV etc.) pode ajudá-lo bastante.

No começo, sim. Depois? Não faz mais sentido.

3. Simplificar a rotina do dia a dia de tal maneira que o paciente possa continuar envolvido com ela.

4. Encorajar a pessoa a vestir-se, comer, ir ao banheiro, tomar banho por sua própria conta. Quando não consegue mais tomar banho sozinha, por exemplo, pode ainda

atender a orientações simples, como: "Tire os sapatos. Tire a camisa, as calças. Agora entre no chuveiro".

5. Limitar suas opções de escolha. Em vez de oferecer vários sabores de sorvete, ofereça apenas dois tipos.

Perfeito. Coisa que aprendemos com o tempo. Mas eu não ofereceria dois tipos, não, oferecia um só. Quer guaraná? Quer sorvete de chocolate? Quer comer? Quer café? Se começar com guaraná ou coca, com gelo ou sem gelo, normal ou diet, não rola. Isso a deixa tensa, ansiosa, e tudo o que vai querer é "ir embora pra casa!". Seja lá de que casa ela esteja falando, pois tudo passa a ser casa.

6. Certificar-se de que o doente está recebendo uma dieta balanceada e praticando atividades físicas de acordo com suas possibilidades.

Se conseguir comer algo, já é uma vitória. Se conseguir ir da sala à cozinha, idem. Tenta-se. Fisioterapia, caminhadas, mas só no começo. Cada vez mais, o esquecimento se torna dominante.

7. Eliminar o álcool e o cigarro, pois agravam o desgaste mental.

No meu caso, eu voltaria a fumar e a beber um uísque com três pedras de gelo.

8. Estimular o convívio familiar e social do doente.

Bastante. E ajuda. São os que ficam, os que nunca nos abandonam.

9. Reorganizar a casa afastando objetos e situações que possam representar perigo. Tenha o mesmo cuidado com o paciente de Alzheimer que você tem com crianças.

Especialmente se livrar dos tapetes.

10. Conscientizar-se da evolução progressiva da doença. Habilidades perdidas jamais serão recuperadas.

E tem jeito?

11. Providenciar ajuda profissional e/ou familiar e/ou de amigos, quando o trabalho com o paciente estiver sobrecarregando quem cuida dele.

Se a grana ajudar e tiver parentes com tempo livre. O fantasma da internação numa clínica sempre pairou. É inclusive o que nos aconselham advogados e médicos. Preferimos tê-la conosco, nos desdobrarmos e, na medida do possível, tentamos tornar sua rotina agradável e feliz.

O que estou fazendo aqui?

O passado é conservado por ele mesmo. Nos segue por toda a vida. Nosso cérebro foi feito para guardar o passado e trazê-lo à tona quando precisamos, para esclarecer uma situação do presente. Se não fosse esse truque do cérebro, acharíamos que o passado continua presente. Enlouqueceríamos. Tem uma válvula que registra o ano em que as coisas aconteceram. Válvula que, quando sonhamos, é aberta.

Mas e quando o presente não faz sentido? Quando ele passa a não existir, vira um furacão de imagens, um vento que impede de se enxergar com clareza, é substituído pela memória? Não. Pois, como não precisamos dela, já que não existem questões a serem esclarecidas no presente, a memória também se apaga.

Muitas vezes fico ao lado da minha mãe e pergunto o que tá rolando. Suas frases sempre me remetem ao pânico de uma mente eletrocutada, que não consegue fazer ligações entre dois pontos.

— Está tudo muito confuso.

— Não estou entendendo nada.

— Não sei o que tá acontecendo.

— Tudo muito estranho.

No entanto, enquanto seu raciocínio está confuso, ela pega a minha mão esquerda, mais fechada do que a direita, e a abre com carinho, dedo a dedo, para alongá--la. Como faz há trinta e cinco anos, desde os primeiros dias em que me viu numa UTI paralisado. Seguindo uma recomendação da fisioterapia: alongar sempre que der a mão do filho tetraplégico, para não atrofiá-la. Um instinto materno poderoso atravessa o choque e o caos em que vive, e ela faz aquilo que rotineiramente foi parte da vida, cuida do filho.

Quando percebi isso, associei o jeito de ela pegar a minha mão com as recomendações médicas e passei sempre a estacionar minha cadeira de rodas paralela à dela e a pousar a mão sem mobilidade no largo apoio de braço da sua cadeira. Ela sempre a pega e a alonga, carinhosamente, dedo por dedo, um de cada vez, num toque que é só dela, que está lá ainda. Deixo-a alongar minha mão por minutos.

Nesse terceiro estágio da doença, sou dos poucos que ela ainda reconhece. Nossa ligação foge à explicação. Está na mente, mas parece viajar por outros caminhos do cérebro. Como um balão sem controle que segue o vento.

Nos almoços de domingo, ela fica onde queremos que ela fique. Vê o jogo que a TV exibe, no volume em que deixaram. Ela olha para onde imaginamos que ela deva olhar. Ela almoça, vê toda a família, às vezes dorme, às vezes solta uma frase sem sentido, às vezes surpreende e dá uma opinião, uma frase completa que faz todo sentido, um raciocínio bem elaborado e econômico, que ela expõe rapidamente, pois se esquecerá dele em seguida, e quando reagimos com alegria e admiração à opinião sensata e bem-vinda, ela já se esqueceu, voltou para seu mundo enigmático, que imagino que seja como nadar num rodamoinho; por mais que se deem braçadas, não se sai do lugar.

Num workshop americano de um grupo de apoio com doenças variadas, foi sugerido a cada um escrever o nome da sua doença e colocar sobre a mesa. Depois, cada um se levantava e escolhia outra doença. Surpresa. Ninguém trocou de doença. Ninguém preferiu uma doença que substituísse a sua. Preferimos a nossa a recomeçar a vida com outra. Ela, conhecemos. É nossa. Aquilo que alguns consideram diferente deve ser interpretado como identidade. Nossa doença forma a nossa identidade.

Ela estava no Estágio III quando a Comissão Nacional da Verdade foi instaurada, o MPF-RJ começou a ação contra torturadores, documentos dos arquivos do coronel Molina, morto em Porto Alegre em 2012, provaram a prisão do meu pai, depois confirmada por Malhães, também morto em seguida, e a farsa que ela atacou por décadas e a intrigou foi enfim desfeita; os caras que diziam que meu pai fugira vieram a público e desmontaram a versão oficial. Ela não registrou em seus pensamentos que se criou a Comissão da Verdade Rubens Paiva em São Paulo, inauguraram-se bustos dele no Congresso e na Estação Engenheiro Rubens Paiva do metrô, que documentos surgiram, depoimentos, a morte e o desaparecimento foram sendo contados. Ele saía diariamente nos jornais, às vezes na capa, sempre nos telejornais. Uma escola de samba carioca quis fazer do meu pai o enredo do Carnaval de 2015. Não nos empolgamos. Eles desistiram.

Em 2014, Rubens Paiva, ele mesmo, morto, ganhou o prêmio Vladimir Herzog de jornalismo. Em 2012, uma reportagem da Miriam Leitão sobre Rubens Paiva já tinha ganhado o mesmo prêmio. O que não aconteceu em décadas, aconteceu em meses. No ano em que o golpe de 64 fez cinquenta anos. Um busto na pracinha em frente ao antigo DOI-Codi, na Tijuca, foi inaugurado. Fui à Festa Literária Internacional de Paraty, a Flip, e, para mais de mil pessoas, li um texto em sua homenagem e chorei. Um texto que dizia "a família Rubens Paiva não chora em público". Ela não tem ideia dessa homenagem.

Um dia apareci na casa dela. A TV na sala, sempre ligada. Nunca reprimi a TV na sala estar sempre ligada. Nenhum livro por perto. Nessa fase, TV era um chiclete para os olhos. Nessa fase, meu filho a reconhecia, e ela o reconhecia. Ele estendia os bracinhos e queria ir para o colo dela. O que a derretia completamente. Ele ia. Puxava o cabelo dela. Era a fase em que, com ele já na escola, começamos a proibi-lo de puxar os cabelos dos outros (o meu, sempre deixei, escondido da mãe, claro). Então, antes que tirassem a mão dele do cabelo dela, ela disse:

— Ele pode...

Enquanto eu papeava com a cuidadora, me desliguei, até ouvir minha mãe chamar nossa atenção:

— Olha, olha, olha!

Olhamos, nada de estranho, meu filho estava confortável no colo dela, comendo o braço da cadeira de rodas. Ela apontou trêmula para a TV e começou a dizer, aflita, chamando a nossa atenção e a atenção da própria memória:

— Olha, olha, olha!

Na TV, um noticiário sobre Rubens Paiva. Neste 2014, apareciam todos os dias notícias sobre o caso Rubens Paiva. Todos os dias, novidades. Ela sentadinha inerte na cadeira de rodas. Apareceram fotos dele de arquivo na tela. Era a foto do seu ex-marido, era o nome dele, falavam dele, desvendavam segredos sobre a morte dele:

— Olha, olha, olha!

Ela olhava. Com lágrimas. Ouviu a notícia. Começou a dizer baixinho:

— Tadinho, tadinho, tadinho...

Em depoimento escrito apresentado ao ex-coordenador da Comissão Nacional da Verdade, Claudio Fonteles, e depois ao próprio MPF, revelado só em 2014, Armando Avólio relatou:

> No mesmo dia seguinte à chegada de Rubens Paiva ao DOI e quase ao término do expediente, por volta das dezessete horas, ao me despedir dos soldados e sargentos do pelotão, reparei que a porta de uma das salas de oitiva do DOI estava entreaberta. [...] Ao dirigir-me para fechá-la, deparei com um interrogador do DOI, de nome HUGHES [...], no seu interior, utilizando-se de empurrões, gritos e ameaças contra um homem que aparentava já ter uma certa idade. Reparei, na fisionomia desta pessoa, um ar de profundo esgotamento físico.

Ao MPF, Avólio contou que a violência era desproporcional. Que o torturador Hughes o jogou no chão e começou a pular em cima da barriga dele:

> Só eu presenciei. Eu fui à sala do capitão Leão, que era contígua à minha, e disse: "Olha, vamos lá no DOI [...] falar com o major BELHAM [...] que o que está acontecendo naquela sala não vai terminar bem". E nós dois fomos até a presença do major BELHAM e falamos pra ele: "Major BELHAM, está acontecendo alguma coisa aqui, pode se tornar

uma coisa grave". Se ele tomou providências, eu não sei, se ele foi lá, eu não sei, se ele mandou alguém lá, eu não sei, se mais alguém ouviu nós dois falarmos pra ele isso, eu não sei. [...] Fomos ao coronel Ney. Em realidade, se nós seguíssemos a hierarquia militar, nós deveríamos ter ido primeiro ao comandante da PE a quem nós éramos subordinados, informar, para ele tomar a iniciativa, mas pela gravidade do que eu vi, eu preferi fazer o contrário... Se o coronel Ney entrou em contato com ele, eu não sei, porque eu não fiquei sabendo, se o coronel Ney foi lá no DOI falar com ele, eu não sei, mas pelo que conheci do coronel Ney ele deve ter tomado uma providência.

Avólio insistiu que tentou avisar o comandante do DOI:

Posso repetir as palavras? Isso eu falo na frente do BELHAM. Eu cheguei, entrei na sala dele [...], eu não me lembro se a sala dele era reservada, isso eu não me lembro. Eu disse, major... Ele levantou... Eu me dava bem com ele, me relacionava bem com ele [...], eu até gostava dele, era um cara que conseguia manter aquelas figuras, que tinha umas figuras lá que... [...] Nunca mais eu estive com ele... Eu disse, major, é bom o senhor dar uma chegada lá na sala de interrogatório porque aquilo lá não vai terminar bem. Ele ficou olhando para mim... É o Hughes que está lá... Saí dali eu e o Leão e fomos direto para o gabinete do nosso comandante, lá no pavilhão da frente, e relatamos para o próprio coronel Ney o que tínhamos visto e com quem havíamos falado [...]

A ocorrência foi confirmada pela testemunha Ronald Leão, que morreu logo depois de enviar uma carta à Comissão Nacional da Verdade. Amílcar Lobo contou que, chegando no DOI de madrugada, examinou um homem em condição de "abdômen em tábua". "O que em linguagem médica pode caracterizar uma hemorragia abdominal, sendo que naquela situação parecia ter havido uma ruptura hepática", detalhou.

De acordo com Corbage, "a maioria do pessoal que trabalhou na repressão gostava de entrar com o preso para fazer o interrogatório. Aí era um massacre, doze contra um".

A ex-presa política Dulce Pandolfi, presa na mesma época e na mesma instalação, detalhou que cabia aos cabos e soldados cuidar da infraestrutura. Eram eles que fechavam e abriam as celas, os levavam para os interrogatórios, para as sessões de tortura, faziam a ronda noturna, levavam as refeições. Nada de banho de sol, visita familiar, conversa com advogado. Nenhum contato com o mundo exterior. Naquela fase, eram presos clandestinos. Só saíam das celas para os interrogatórios, de olhos vedados, com um capuz preto na cabeça. Quase todos os que faziam o trabalho de infraestrutura incorporavam o ambiente da tortura. Mas havia exceções. Um dos soldados deu um pedaço de papel e uma caneta para ela escrever uma carta aos pais. E, de fato, a carta chegou ao destino. Pode ter sido o mesmo que deu chocolate para minha mãe.

Riscala Corbage contou em depoimento para os promotores:

> Os soldados do PIC eram soldados engajados, os catarinas. [...] O oficial não encostava a mão em nenhum preso [...] porque não precisava. Tinha sempre dois soldados do PIC...

Já viu catarina de dois metros e três, dois metros e quatro de altura, já viu catarina pesando cento e quarenta quilos, os caras assustavam a gente, que era oficial da polícia. Eles é que preparavam os presos para o pau de arara, eles é que botavam lá, eles é que prendiam o arame para dar choque, eles é que davam afogamento... Agora, você vai dizer, mas por trás deles tinha um oficial... Eram três salas de interrogatório simultâneas, três interrogatórios simultaneamente. E todo dia mudavam os interrogadores, era vinte e quatro por quarenta e oito. [...] Eu passava, tá aqui vocês três, cumprimentava, ia lá para dentro e falava: Qual é a minha sala hoje? Ah, é a sala 1, a sala 2, a sala 3... Tudo bem...

Dulce lembra que no segundo andar do prédio havia umas celas pequenas e duas bem maiores, essas com banheiro e diversos beliches. Foi numa dessas que ela passou a maior parte do tempo.

Riscala Corbage continua:

Tinha a sala 1 que era a sala do ponto. Se o preso resistisse por mais de quarenta e oito horas na sala do ponto, ele era jogado no estado que sobrou no corredor. Nesse caso, não sabíamos o nome dele, a organização dele, se ele precisava ser socorrido. [...] A sala do ponto... Apanhava para burro. Preto no branco. Acabava falando. Ou mentindo. Ou falando a verdade. Era um cuidado que eu tinha com esse colega meu de equipe, que era da gente não correr esse risco. Às vezes não valia nem a pena... Por exemplo, o cara não queria falar. Mas já estava há quinze minutos no pau de arara.... Tira... Bota ele ali. Deixa ele lá pensando na vida... Porque tinha outros para ser interrogados. Aí quando o outro reclamava das dores, falava: quer voltar para o pau de arara? O cara não queria mais, era muita dor... Às vezes eu era chamado para a sala do ponto, a primeira sala, era a sala terrível, a sala mais terrível, até o diabo, se entrasse ali, saía em pânico. Eu chegava e falava: "Zairo, você quer descer do pau de arara?". Ele dizia: "Quero!". Mas você vai conversar legal comigo? Vou mandar te levar para uma outra sala, tu vai sentar, vou te dar água, mas nós vamos conversar legal. Agora eu tenho dados que você deve me dizer de outras pessoas que te indicaram, se você não me disser, você vai voltar para a sala do ponto.

Riscala Corbage se defende:

Você vê, na minha mão passaram mais de quinhentos presos, em dois anos. Aí disseram para mim, que nem esse repórter da Comissão da Verdade: "Nós temos sete presos que lhe acusavam de tortura". Eu fiquei pensando comigo: será que no início, que era aquela confusão toda, o preso tá ali desesperado... Alguém perguntava: Dr. Nagib, vou dar choque nele, que é que o senhor acha? Aí eu dizia: Dá sim, dá sim, não quer falar, dá... No início era uma zona, só que depois nós acabamos com isso. Você vai dizer: acabou a sala de tortura, a sala de ponto? Eu vou dizer, não, isso não acabou, não... Agora... Meu amigo, se eu quisesse dar um tapa em alguém, eu ia ter que trepar nas costas de muita gente, porque na minha frente tinha muita gente querendo fazer o mesmo... O preso é de quem? Quem é o coautor? [...] Juntava quem estava lá, com quem lá já estivesse... [...] Eu interroguei muita gente, você não faz ideia... Em dois anos, vinte e quatro por quarenta e oito o dia inteiro, preso chegando a toda a hora... Ninguém morreu durante os meus interrogatórios, sabe por quê?

E detalha:

Você pega um estudante, você bota ele com o peso dele aqui, numa barra de ferro, e deixa ele quinze minutos pendurado no pau de arara, não precisa dar choque, não... O cara urra de dor, sabe por quê? Atinge os nervos... Os nervos da perna... O cara quer descer de qualquer maneira... Esse negócio de bater em preso pendurado em pau de arara, isso é a maior imbecilidade... Eu acho que o cara, para fazer isso, devia ele fazer nele primeiro, pegar o interrogador, colocar pendurado no pau de arara e deixar ele lá meia hora, sem dar choque. Ele entrega até a mãe dele. [...] Veja se tem alguém com alguma cicatriz... Veja se tem alguém sem pernas, sem braços. Que nada... Esses estudantes foram muito bem tratados nas minhas noites de serviço, eu reunia eles e tinha até gargalhadas, quando um defendia uma tese, o outro achava que era mentira e tentava desmentir, era um bate-boca do cacete, e eu ficava ali me deliciando, tentando aprender, onde é que eles viam as coisas maravilhosas. [...] O oficial não torturava ninguém... Ele ficava presente. O oficial não precisa usar a força. Ele só ficava perguntando...

Meu pai viu minha mãe e sua filha, de capuz, sentadas à espera? Se viu, qual teria sido a sua reação? Afinal, por que as levaram pra lá?

Minha mãe já tinha pensado na possibilidade de ter ocorrido um sacrifício. Deve ter pensado. Como eu pensei. Meu pai sabia disso. Andar com cápsula de cianureto nos dentes era comum na Resistência. Os mais graduados da ALN as tinham na boca. Atirar-se debaixo de um carro, jogar-se da janela ou contra a parede, forçar a morte, xingar os torturadores, era um procedi-

258

mento. O que meu pai fez para apanhar tanto? Nunca saberemos.

Por anos, ela não o perdoou por colocar a família em risco, numa luta desigual, desorganizada, praticamente perdida. Para muitos, meu pai foi um herói que não fugiu à luta. Para ela, deveria, sim, ter seguido para o exílio, quando soube que a família poderia passar pelo que passou. Mas lutou por ele a vida toda. Lutou para descobrir a verdade, para denunciar a tortura, os torturadores.

A doença chegou no ano em que ela ganhou a ação que começou nos anos 80 e obrigava a União a ressarcir o seguro de vida que ela não pôde resgatar, pois não tinha atestado de óbito, e uma pensão por danos morais. Quando o dinheiro foi depositado, falei:

— Mãe, vitória, você conseguiu, vamos comemorar, vamos para a Itália, rever nossos antepassados!

— Já conheço a Itália.

— Então vamos para Paris, para você visitar sua filha e seus netos!

— Já fui muitas vezes a Paris.

— Então vamos jantar no Fasano, tomar um porre!

— Conheço o Fasano, ia muito com seu pai, quando era uma cantina, somos amigos do velho.

— Então o que você quer fazer? O dinheiro está na sua conta!

Ela me olhou humildemente e falou o que mais tinha vontade de fazer naquele momento, o que a deixaria a pessoa mais feliz e completa da cidade:

— Vamos tomar um sorvete na lanchonete do prédio.

Comemoramos a sua luta de décadas tomando um picolé, só nós dois, numa mesinha de plástico da lanchonete da piscina do condomínio em que moramos, eu no bloco 3, ela no 1, piscina que às tardes fica vazia e onde nunca mais se jogou truco.

Ficar ao seu lado é como ficar ao lado de um bebê, mas não é. Ela está lá. Sua história está com ela, foi vivida por ela. Ela é minha mãe, que cuidou dos meus ataques de bronquite, da minha inconsequência juvenil, tratou de mim na UTI, em hospitais, negociou operações, não interferiu nos meus planos ou projetos literários, massageou a minha mão para não atrofiar, fez a revisão dos meus primeiros textos, inclusive dos meus primeiros livros, fez meu imposto de renda por anos, reviu meus contratos, me levou para a AACD, me hospedou no Rio, não perdeu uma estreia de filme, peça ou lançamento de livro meu, deu entrevistas ao meu lado, me ensinou e fez o Brasil repensar.

Ela pegou o porta-retratos com lugar de destaque na sala com a foto do meu filho de um ano e o abraçou com delicadeza. Minha coisinha, disse. Todo dia que ela o vê, diz:

— É a coisinha mais linda que existe.

Sempre que me lembro, levo ele para ela segurar, rir, se emocionar. O neto e a vovó Nice. O neto que herdou os olhos do meu pai. O neto loiro de olhos azuis como meu pai. O neto gozador e brincalhão como o vovô. Que ela consegue segurar com firmeza. Todos ficam em pânico, acham que ela vai derrubar. Vai nada, digo, já criou cinco! Ela não derruba. Ele estranha. Ele gosta, às vezes chora. Na maioria, curte aquele abraço confuso, titubeante, enquanto todos prendem a respiração.

Quando ele aprendeu a andar, apoiava-se nas rodas da cadeira dela. Para ficar perto da vovó, empurrá-la.

Num dia desses, ela falava baixinho para mim, segurando a minha mão, alongando os meus dedos:

— Eu sou a Italianinha.

Eu sei, mamãe. Era seu apelido na escola. Você me contou.

— É.

Estávamos na sala. Começo a orientar a cuidadora-chefe, rever problemas na casa, da roda quebrada da cadeira de banho, a roda murcha da outra cadeira, confirmar a ida ao dentista, pedir orçamento, pagar o vazamento consertado, acertar as férias, salários, checar o livro-ponto, quando escuto minha mãe chamar, olhando para o corredor que ia para os quartos:

— Mamãe?

Não entendi direito, continuei a conversar com a cuidadora, e ela repetiu:

— Mamãe?

— O que ela disse? — perguntei.

— Ela está com mania de falar "mamãe".

— Mas ela está chamando você de mamãe?

— Não. Ela chama a mãe dela. Ela olha e diz "mamãe". Fica esperando a mãe dela aparecer.

A mãe dela morreu dez anos antes. Morreu aos noventa e quatro anos, de velhice. Lúcida. Morte que abalou muito a minha mãe.

A coisa que eu mais admiro nela e tento levar como um exemplo para a minha vida: ela nunca sentiu pena de si. Sabia que sua doença degenerativa causava mal-estar em outros. Vive com ela com toda a sua completude: dando foras, tendo ataques de mau humor, engasgando com a comida, esquecendo-se dignamente de tudo. Estranhamente, nunca pronunciou seu nome: Alzheimer.

Tinha ataques de ansiedade difíceis de ser controlados. Certa vez, no seu apartamento no Rio, ainda com a mobilidade intacta, começou a jogar todos os discos, livros e revistas fora, em sacos. Livros, discos e revistas que nós, filhos e genros, tínhamos levado, para ajudar a compor o ambiente, músicas que ouvíamos juntos, livros sobre os quais dividíamos as opiniões. Eu falava, Mãe, para, você está nervosa, é tudo nosso, é da família. Ela dizia, Não quero nada de vocês aqui, este apartamento é meu, não quero que vocês tragam coisas para cá. Era difícil convencê-la do contrário, e deixei. Ela encheu três sacos pretos de cem litros com coisas valiosas para nós, que para ela não tinham a menor importância. E jogou fora. Deixei-a jogar. Era a sua casa. Era Carnaval. Me infernizou três dias seguidos, do quanto a minha presença a incomodava. Não aguentei e fui embora. Senti raiva. Fui enxotado pela própria mãe. Fiquei triste. Mas peguei meu carro e dirigi de volta para São Paulo sozinho. Era a fase em que ainda levávamos para o lado pessoal os ataques que a doença comandava. Ela não conseguiria voltar para São Paulo. Passou dias lá, orgulhosa, sem pedir ajuda a ninguém. Alguém teria que buscá-la. Ela, teimosa, não avisou ninguém. Eu avisei: mamãe está sozinha no Rio. Vamos ver até quando ela aguenta sem pedir um help. Não pediu. Alguém foi buscá-la.

Seu orgulho era maior do que seu esquecimento. Jamais sentiria pena de si mesma. Nem queria que sentíssemos pena dela. Jamais pediu ajuda. Recentemente, uma nova fala cheia de significados entrou no seu repertório, especialmente quando um turbilhão de emoções a ataca, como rever uma filha que mora na Europa ou segurar no colo o meu filho, o que mostra uma felicidade e um alerta, caso alguém não tenha reparado: Eu ainda estou aqui. Ainda estou aqui.

Sim, você está aqui, ainda está aqui.

Minha mãe, aos oitenta e cinco anos, não entrou no Estágio IV, o pior de todos. Sua vida tem muitos atos. Teremos mais um. Enquanto a morte do meu pai não tem fim.

São Paulo, outono de 2015

A denúncia

MINISTÉRIO PÚBLICO FEDERAL
PROCURADORIA DA REPÚBLICA NO ESTADO DO RIO DE JANEIRO

EXCELENTÍSSIMO SENHOR JUIZ FEDERAL DA 4ª VARA CRIMINAL
DA SUBSEÇÃO JUDICIÁRIA DO RIO DE JANEIRO.

O MINISTÉRIO PÚBLICO FEDERAL, pelos Procuradores da República infra-assinados, vem respeitosamente à presença de Vossa Excelência ajuizar a presente DENÚNCIA em face de:

1) JOSÉ ANTÔNIO NOGUEIRA BELHAM, brasileiro, casado, general reformado do Exército (...).

2) RUBENS PAIM SAMPAIO, brasileiro, casado, coronel reformado do Exército (...).

3) RAYMUNDO RONALDO CAMPOS, brasileiro, casado, coronel reformado do Exército (...).

4) JURANDYR OCHSENDORF E SOUZA, brasileiro, solteiro, militar reformado do Exército (...).

5) **JACY OCHSENDORF E SOUZA**, brasileiro, solteiro, militar reformado do Exército (...).

1ᴬ IMPUTAÇÃO: HOMICÍDIO DOLOSO QUALIFICADO

Consta dos inclusos autos do PIC nº 1.30.001.005782/2012-11 e nº 1.30.011.001040/2011-16 que, em hora incerta, entre os dias 21 e 22 de janeiro de 1971, nas dependências do Destacamento de Operações de Informações — DOI — do 1 Exército, localizado, à época, nesta cidade na rua Barão de Mesquita, 425 — Tijuca, os denunciados JOSÉ ANTÔNIO NOGUEIRA BELHAM e RUBENS PAIM SAMPAIO, acima qualificados, em concurso com os militares já falecidos JOÃO PAULO MOREIRA BURNIER, ANTONIO FERNANDO HUGHES DE CARVALHO, FREDDIE PERDIGÃO PEREIRA e NEY FERNANDES ANTUNES, e ainda com outros agentes até agora não totalmente identificados, todos previamente ajustados e agindo com unidade de desígnios, MATARAM Rubens Beyrodt Paiva. O homicídio de Rubens Paiva foi cometido por motivo torpe, consistente na busca pela preservação do poder usurpado em 1964, mediante violência e uso do aparato estatal para reprimir e eliminar opositores do regime e garantir a impunidade dos autores de homicídios, torturas, sequestros e ocultações de cadáver.

O homicídio praticado pelos denunciados foi cometido com o emprego de tortura, consistente na infligição intencional de sofrimentos físicos e mentais agudos contra Rubens Paiva, com o fim de intimidá-lo e dele obter informações a respeito dos destinatários finais de cartas e documentos remetidos por dissidentes exilados no Chile, encontrados em poder de Cecília Viveiros de Castro, já falecida, e da testemunha Marilene Corona Franco.

A ação foi executada mediante recurso que tornou impossível a defesa do ofendido. Tal recurso consistiu no emprego de um grande número de agentes do Centro de Informações de Segurança da Aeronáutica — Cisa, do Centro de Informações do Exército — CIE e do Destacamento de Operações de Informações — DOI do I Exército para invadir o domicílio familiar, sequestrar a vítima, imobilizá-la e mantê-la sob forte vigilância armada.

2ª IMPUTAÇÃO: OCULTAÇÃO DE CADÁVER

Consta também dos autos que, em hora incerta, a partir do dia 22 de janeiro de 1971 até a presente data, nesta cidade e subseção judiciária, os denunciados JOSÉ ANTÔNIO NOGUEIRA BELHAM, RUBENS PAIM SAMPAIO, RAYMUNDO RONALDO CAMPOS, JURANDYR OCHSENDORF E SOUZA e JACY OCHSENDORF E SOUZA, acima qualificados, em concurso com os militares já falecidos FRANCISCO DEMIURGO SANTOS CARDOSO, FREDDIE PERDIGÃO PEREIRA, ANTONIO FERNANDO HUGHES DE CARVALHO, SYSENO SARMENTO, NEY FERNANDES ANTUNES e NEY MENDES, e ainda com outros agentes até agora não totalmente identificados, todos previamente ajustados e agindo com unidade de desígnios, OCULTAM O CADÁVER da vítima Rubens Beyrodt Paiva.

3ª IMPUTAÇÃO: FRAUDE PROCESSUAL

Consta também que, em conduta destacada da anterior, os denunciados RAYMUNDO RONALDO CAMPOS, JURANDYR OCHSENDORF E SOUZA e JACY OCHSENDORF E SOUZA, previamente ajustados e agindo com unidade de desígnios com FRANCISCO DEMIURGO SANTOS CARDOSO, no dia 22 de janeiro de 1971, nesta cidade e subseção judiciária, INOVARAM ARTIFICIOSAMENTE o estado: a) da pessoa de Rubens Beyrodt Paiva, ao falsamente afirmarem que ele se evadira e que, portanto, não estava mais sob a responsabilidade do DOI; e b) do veículo VW Volkswagen, placas GB 21.48.99, motor nº BF 97562, mediante combustão provocada por disparos de arma de fogo por eles efetuados na Estrada de Furnas — Alto da Boa Vista. Ambas as inovações foram feitas com o fim de induzir em erro o perito Lúcio Eugênio de Andrade, bem como o órgão jurisdicional competente para processar e julgar o crime de homicídio cometido contra Rubens Beyrodt Paiva.

4ᴬ IMPUTAÇÃO: QUADRILHA ARMADA

Ao menos entre 1970 e 1974, nos períodos adiante precisados, os denunciados JOSÉ ANTÔNIO NOGUEIRA BELHAM, RUBENS PAIM SAMPAIO, RAYMUNDO RONALDO CAMPOS, JURANDYR OCHSENDORF E SOUZA e JACY OCHSENDORF E SOUZA, juntamente com outros criminosos já falecidos, dentre os quais FRANCISCO DEMIURGO SANTOS CARDOSO, PAULO MALHÃES, FREDDIE PERDIGÃO PEREIRA, ANTONIO FERNANDO HUGHES DE CARVALHO, SYSENO SARMENTO, JOSÉ LUIZ COELHO NETTO, JOÃO PAULO MOREIRA BURNIER, NEY FERNANDES ANTUNES e NEY MENDES e com outros cuja participação ainda não foi totalmente individualizada, ASSOCIARAM-SE, de maneira estável e permanente, em QUADRILHA ARMADA, com a finalidade de praticar crimes de lesa-humanidade tipificados, no ordenamento interno, como sequestros, homicídios e ocultações de cadáver. A associação começou com a adesão dos denunciados, em momentos distintos, à organização criminosa, e desenvolveu-se no interior do Destacamento de

Operações de Informações (DOI) do 1 Exército e do Centro de Informações do Exército (CIE), órgãos dos quais os denunciados faziam parte, sediados nesta cidade e subseção judiciária. As quatro condutas imputadas foram cometidas no contexto de um ataque sistemático e generalizado à população civil, consistente, conforme detalhado na cota introdutória que acompanha esta inicial, na organização e operação centralizada de um sistema semiclandestino de repressão política, baseado em ameaças, invasões de domicílio, sequestro, tortura, morte e desaparecimento dos inimigos do regime. Os denunciados e demais coautores tinham pleno conhecimento da natureza desse ataque, associaram-se com outros agentes para cometê-lo e participaram ativamente da execução das ações. O ataque era particularmente dirigido contra os opositores do regime e matou oficialmente 219 pessoas e desapareceu com outras 152, dentre elas a vítima Rubens Paiva.

(...)

Não é demais registrar que a privação da liberdade da vítima nas dependências do comando da 3ª Zona Aérea e do DOI do 1 Exército era ilegal, porque nem mesmo na ordem vigente na data de início da conduta delitiva agentes do Estado estavam juridicamente autorizados a atentar contra a integridade física dos presos e muito menos a sequestrar pessoas e depois fazê-las "desaparecer".

Com efeito, o art. 153, §12, da Emenda Constitucional nº 1 de 1969, estabelece claramente que *"a prisão ou detenção de qualquer pessoa será imediatamente comunicada ao juiz competente, que relaxará, se não for legal"*. Mesmo o Ato Institucional nº 5, de 13 de dezembro de 1968, apesar de ter suspendido a garantia do *habeas cor-*

pus para os crimes contra a segurança nacional, não excluiu o dever de comunicação da prisão, nem autorizou a manutenção de suspeitos, por tempo indeterminado, em estabelecimentos oficiais, sob a responsabilidade de agentes do Estado. Portanto, ainda que a pretexto de combater supostos terroristas, não estavam os agentes públicos envolvidos autorizados a sequestrar a vítima, mantê-la secretamente em estabelecimento oficial, torturá-la até a morte e depois dar ao corpo um paradeiro conhecido somente pelos próprios autores do delito, dentre os quais os denunciados.

2. Homicídio

Sequestrado no DOI, sob a responsabilidade do CIE e do próprio DOI, Rubens Paiva foi então vítima de violenta tortura cometida pelo integrante da equipe de interrogatórios da Seção de Informações do DOI, ANTONIO FERNANDO HUGHES DE CARVALHO (falecido no ano de 2005), dentre outros agentes ainda não totalmente identificados. A participação de HUGHES no crime foi inicialmente revelada pelos militares Armando Avólio Filho e Ronald José Motta Baptista Leão. Posteriormente, as testemunhas Marilene Corona Franco e Lúcia Maria Murat Vasconcellos reconheceram HUGHES como um dos autores das torturas que lhes foram aplicadas. Também Riscala Corbage e JOSÉ ANTÔNIO NOGUEIRA BELHAM confirmaram que HUGHES integrava uma das equipes da Subseção de Interrogatório do DOI do I Exército.

(...)

A violência empregada contra a vítima, com a intenção de provocar sua morte, foi assim a causa das lesões internas que ocasionaram o óbito, motivo pelo qual está a conduta subsumida no art. 121, §2º, do Código Penal. O crime foi cometido por motivo torpe, consistente na busca pela preservação do poder usurpado em 1964, mediante violência e uso do aparato estatal para reprimir e eliminar opositores do regime e garantir a impunidade dos autores de homicídios, torturas, sequestros e ocultações de cadáver.

O homicídio foi cometido com o emprego de tortura, consistente na aflição intencional de dores e sofrimentos físicos e mentais agudos a Rubens Paiva, com o fim de intimidá-lo e dele obter informações a respeito dos destinatários de cartas e papéis remetidos por dissidentes exilados no Chile.

A ação foi executada mediante recurso que tornou impossível a defesa do ofendido. Tal recurso consistiu no emprego de um grande número de agentes do Cisa, do CIE e do DOI do I Exército para invadir o domicílio familiar, sequestrar a vítima, imobilizá-la e mantê-la sob forte vigilância armada.

As condutas comissivas e omissivas imputadas a JOSÉ ANTÔNIO NOGUEIRA BELHAM e a RUBENS PAIM SAMPAIO, adiante precisadas, foram penalmente relevantes para a ocorrência do resultado naturalístico do homicídio, motivo pelo qual são eles coautores do crime nos termos dos arts. 11 e 25 do Código Penal. Convém frisar que os dois denunciados, na condição de superiores hierárquicos de ANTONIO FERNANDO HUGHES DE CARVALHO não apenas podiam, como também deviam ter agido para impedir a ocorrência do resultado, respondendo, desta feita, pela omissão dolosa também na condição de garantes.

No caso de JOSÉ ANTÔNIO NOGUEIRA BELHAM, mesmo após ser pessoalmente cientificado, por dois oficiais do Exército, das torturas infligidas na vítima, e que tais torturas poderiam levar o preso a óbito, não agiu para impedir o cometimento e consumação do homicídio de Rubens Paiva, quando devia e estava em condições de fazê-lo.

O denunciado RUBENS PAIM SAMPAIO, por sua vez, já informado da intensidade da tortura praticada contra Rubens Paiva em cela militar, e agindo em concurso com FREDDIE PERDIGÃO PEREIRA, dolosamente impediu o ingresso do capitão Ronald José Motta Baptista Leão à sala onde a vítima estava, assegurando, com sua conduta comissiva, a progressão criminosa do homicídio.

Por esses motivos, JOSÉ ANTÔNIO NOGUEIRA BELHAM e RUBENS PAIM SAMPAIO estão incursos nas penas do art. 121, §2º, incisos I (motivo torpe), III (emprego de tortura) e IV (mediante recurso que tornou impossível a defesa do ofendido), na forma do art. 25 (concurso de agentes), ambos do Código Penal.

3. Ocultação do cadáver

A "solução" encontrada pelos denunciados e demais coautores foi sustentar que a vítima "fugiu". Porém, provavelmente em razão do status de ex-parlamentar ostentado por Rubens Paiva, não seria possível apenas anunciar o fato à família e censurar os jornais da época para que não divulgassem a notícia.

Inobstante não se tenha chegado à identidade dos autores imediatos da retirada de Rubens Paiva das dependências do DOI e da posterior ocultação do cadáver em local ainda ignorado, há nos autos elementos seguros de convicção a respeito da participação dos denunciados JOSÉ ANTÔNIO NOGUEIRA BELHAM, RUBENS PAIM SAMPAIO, RAYMUNDO RONALDO CAMPOS, JURANDYR OCHSENDORF E SOUZA e JACY OCHSENDORF E SOUZA na ocultação, ainda não exaurida, do cadáver da vítima.

Tal participação consistiu:

a) no caso do denunciado JOSÉ ANTÔNIO NOGUEIRA BELHAM, na omissão conivente com a retirada do cadáver da vítima das dependências do DOI, e na posterior omissão em apurar o paradeiro do corpo, quando estava obrigado, em razão da função de comando do destacamento por ele exercida, a impedir a ocorrência e a permanência do resultado;

b) no caso do denunciado RUBENS PAIM SAMPAIO, na omissão de seu dever de garante em fazer cessar a execução criminosa, mesmo após, confessadamente, ter tomado ciência da morte e da farsa executada. O denunciado foi informado do óbito porque, juntamente com FREDDIE PERDIGÃO PEREIRA, havia acompanhado o interrogatório da vítima no DOI, os dois na condição de membros da Seção de Operações do CIE. A comunicação da morte foi feita ao denunciado por telefone, através de um agente ainda não identificado do DOI, na própria data dos fatos. Mesmo ciente de que fora engendrada uma farsa, o denunciado deixou de impedir a consumação e permanência da ocultação do cadáver da vítima, quando estava obrigado a fazê-lo, seja em razão de sua posição hierárquica na estrutura do órgão diretamente envolvido nos fatos, seja porque havia ele, com sua conduta anterior, contribuído para a produção do resultado.

Termo de Declarações de Rubens Paim Sampaio ao MPF (doc. 50, fls. 155-158, v. II, do PIC nº 1.30.001.005782/2012-11): "A respeito do caso envolvendo o ex-deputado Rubens Paiva, o declarante tem a dizer que em uma data recebeu um telefonema de uma pessoa do DOI cujo nome não se recorda informando que Paiva havia falecido de enfarte. O declarante disse: 'Espera aí!'. Em seguida informou o fato a Coelho Netto, que então determinou que o corpo fosse levado ao IML. O declarante retornou a ligação ao DOI mas então a pessoa do outro lado da linha lhe disse que haviam feito um teatrinho para ocultar o corpo".

c) no caso dos denunciados RAYMUNDO RONALDO CAMPOS, JURANDYR OCHSENDORF E SOUZA e JACY OCHSENDORF E SOUZA, na omissão da identidade dos autores imediatos do crime permanente tipificado no art. 211 do Código Penal, bem como na manutenção, até hoje, da versão falsa apresentada, ambas as condutas dolosamente dirigidas a garantir a perpetuação da ocultação do cadáver.

As condutas omissivas imputadas aos denunciados são penalmente relevantes porque contribuíram decisivamente para o resultado naturalístico do crime de ocultação do cadáver, tipo de natureza permanente. Por esse motivo, são eles coautores do evento nos termos dos arts. 11 e 29 do Código Penal.

As imputações específicas aos cinco denunciados estão detalhadas na seção II desta ação.

Em razão de tais fatos, JOSÉ ANTÔNIO NOGUEIRA BELHAM, RUBENS PAIM SAMPAIO, RAYMUNDO RONALDO CAMPOS, JURANDYR OCHSENDORF E SOUZA e JACY OCHSENDORF E SOUZA estão incursos nas penas do art. 211 c.c. o art. 29 (concurso de agentes), ambos do Código Penal.

4. Fraude processual

Para o acobertamento do homicídio, não foi suficiente a ocultação do corpo de Rubens Paiva. Foi preciso, também, que os agentes envolvidos apresentassem alguma explicação aceitável para o desaparecimento de uma pessoa vista presa por três testemunhas no interior do DOI. Sem a farsa urdida, da qual participaram o então capitão RAYMUNDO RONALDO CAMPOS e os então sargentos JACY OCHSENDORF E SOUZA e JURANDYR OCHSENDORF E SOUZA, não seria possível manter-se, por tanto tempo, a versão de que a vítima "fugira".

A farsa começou com uma ordem manifestamente ilegal dada aos três denunciados pelo major subcomandante do DOI, FRANCISCO DEMIURGO SANTOS CARDOSO, já falecido: "Pega uma equipe, leva para o Alto da Boa Vista, diga que o prisioneiro fugiu, metralhe o carro para parecer que ele fugiu. E volte".

A ordem — revelada somente agora, após 43 anos — foi cumprida pelos três na madrugada do dia 22 de janeiro de 1971. Acompanhado por JACY e JURANDYR OCHSENDORF E SOUZA, RAYMUNDO RONALDO CAMPOS conduziu o automóvel Volkswagen, placa GB 21.48.99, motor nº BF 97562 (disponibilizado ao Destacamento), até um trecho da estrada de Furnas, no Alto da Boa Vista. Chegando ao local, os três, previamente ajustados, efetuaram dezoito disparos de arma de fogo de calibre 45mm contra o veículo, sendo dois no capô do porta-malas, cinco no para-lama dianteiro esquerdo, dois no interior do porta--malas, cinco no tanque de gasolina, três na lateral dianteira esquerda e um na lateral traseira esquerda.

Segundo RAYMUNDO RONALDO CAMPOS: "Aí o Demiurgo, com ordem de alguém, porque ele não podia dar essa ordem, resolveu montar uma operação pra dizer que o Rubens Paiva fugiu. [...] Eu não sei [se ele já tinha morrido]. Ninguém sabe. Ninguém viu... Eu não vi... O Demiurgo deve ter visto... Aí eu fui fazer essa operação cinematográfica. [...] Atiramos no carro. [...] [Fui eu e] dois sargentos [...] acho que eram irmãos, sei que eram paraquedistas... Eles eram da equipe que estava naquele dia, podiam ser outros dois quaisquer, mas escolheram aqueles dois. Terminou aquele dia, eles foram embora e eu nunca mais os vi. [...] Quem me deu essa ordem diretamente foi o Demiurgo. Alguém deu para ele, porque ele não mandava. Alguém deu para ele. [...] [Fomos em] um carro. Era um fusca. Paramos num lugar ermo, saltamos do carro, metralhamos o carro, tocamos fogo no carro e chamamos os bombeiros e a polícia. Pegou fogo. Demorou a pegar fogo. [O carro pegou fogo] pelos tiros. O DOI não usava metralhadora. O DOI usava o armamento individual de cada um. Uma pistola 9mm. Não... era uma 45. [...] Devem ter sido cinco ou seis tiros, de cada um. Ficamos aguardando no local. [...] Veio a polícia da delegacia da Tijuca. Foi feita uma ocorrência pela delegacia, polícia civil. [...] Os bombeiros foram lá mas já não tinha mais o que apagar. Voltamos para o quartel, contamos o ocorrido, fizemos o mapa, o registro...".

Em decorrência da ação criminosa dos denunciados, o veículo incendiou-se. Os três então chamaram os bombeiros, e depois registraram a ocorrência junto ao 19º Distrito Policial.

Em momento posterior, RAYMUNDO RONALDO CAMPOS ainda assinou a "Parte s/n" 42, datada de 22 de janeiro, não redigida por ele, na qual falsamente afirma que: "[...] às quatro horas do dia 22 jan. 71, em consequência das informações prestadas pelo cidadão RUBEM BEIRODT PAIVA [sic], levei-o acompanhado da equipe da Bda Aet [Brigada Aeroterrestre] para indicar uma casa onde poderia estar elemento que trazia correspondência do Chile. O sr. RUBEM não conseguiu identificar a casa e ao regressar, na pista de descida ao Alto da Boa Vista, lado da Usina, o Volks da equipe do DOI foi interceptado por dois Volks, um branco e outro verde ou azul-claro, que violentamente contornaram a frente do carro do DOI disparando armas de fogo. A equipe rapidamente abandonou o carro refugiando-se atrás de um muro, respondendo ao fogo. O carro logo incendiou-se. O sr. RUBEM saiu pela porta esquerda, atravessou a rua refugiando-se atrás de um poste enquanto elementos desconhecidos, provavelmente terroristas, pelo tipo de ação desencadeada, disparavam de atrás dos carros sobre o nosso carro, ele corria para dentro de um dos carros, os quais logo partiam em alta velocidade. Ao cessarem os tiros para o embarque dos terroristas, aproveitamos e atiramos violentamente conseguindo quebrar o vidro traseiro de um dos carros e com certeza atingindo um dos elementos que com um grito caiu ao chão, sendo arrastado para dentro do carro já em movimento. Desceram a estrada em alta velocidade sob uma saraivada de balas disparadas pela equipe. O carro do DOI a essa altura já ardia completamente. Foi participado ao 19º DP e ao Corpo de Bombeiros que compareceram ao local, porém não conseguindo salvar o carro. Na hora em que a equipe abandonou o carro foram deixados no seu interior dois carregadores de metralhadora 9mm Beretta. Não houve feridos por parte dos elementos do DOI. RAYMUNDO RONALDO CAMPOS — Cap. — Oficial de Permanência".

Ouvido pelo MPF, o denunciado RAYMUNDO RONALDO CAMPOS declarou que: "O major Demiurgo mesmo fez [o documento "parte s/n."] e mandou eu assinar, porque eu tinha que assinar. Se eu não fizesse tudo isso, eu seria sabe o quê? Punido. [...] Eu era um capitão, o resto era tudo major, tenente-coronel, general, o diabo. Se eu não fizesse eu iria ser transferido do Rio de Janeiro lá para o interior do Rio Grande do Sul ou para a Amazônia... Então eu tinha que fazer. Eu tinha que fazer. Assinar o que ele me desse para assinar, então eu assinei isto aqui. Foi ele quem fez. Ou ele ou não sei quem acima dele, eu não sei... Era para dizer que tinha havido uma troca de tiros... uma tentativa de sequestro, uma coisa assim. Eu nunca vi o Rubens Paiva, eu nem sabia que ele estava lá. Eu só vim a saber depois porque eu tinha que fazer o registro no meu mapa da missão e eu: 'Quem era o cara?' — E me deram o nome dele. Então é isso aí."

5. Quadrilha armada desenvolvida no contexto de organização criminosa

Ao menos entre 1970 e 1974, nos períodos adiante precisados, os denunciados JOSÉ ANTÔNIO NOGUEIRA BELHAM, RUBENS PAIM SAMPAIO, RAYMUNDO RONALDO

CAMPOS, JURANDYR OCHSENDORF E SOUZA e JACY OCH-
SENDORF E SOUZA, juntamente com outros criminosos já
falecidos, dentre os quais FRANCISCO DEMIURGO SANTOS
CARDOSO, PAULO MALHÁES, FREDDIE PERDIGÃO PEREI-
RA, ANTONIO FERNANDO HUGHES DE CARVALHO, SYSENO
SARMENTO, JOSÉ LUIZ COELHO NETTO, JOÃO PAULO MO-
REIRA BURNIER, NEY FERNANDES ANTUNES e NEY MEN-
DES e com outros cuja participação ainda não foi totalmente individualizada, associaram-se, de maneira estável
e permanente, em quadrilha armada, com a finalidade de
praticar crimes de lesa-humanidade tipificados, no ordenamento interno, como sequestros, homicídios e ocultações de cadáver.

A quadrilha em questão — verdadeira organização criminosa para fins de direito — consolidou-se com
o golpe de Estado de 1964 e seus remanescentes permaneceram em atividade até ao menos junho de 1981. Tinha âmbito nacional e congregou um grande número de
agentes, civis e militares, a maioria integrantes da chamada "comunidade de informações", rede nacional de
pessoas e organismos de Estado envolvidos na repressão
política ditatorial.

Ainda que os denunciados e demais integrantes da
quadrilha agissem em nome do Estado, os crimes por eles
cometidos não estavam, de nenhum modo, amparados
pelo direito vigente à época, nem mesmo por aquele emanado do próprio movimento golpista. Os sequestros cometidos por integrantes da organização eram antijurídi-
cos porque as prisões não eram seguidas de comunicação
à autoridade judicial, como já determinava a lei vigente à

época, havendo nos autos, ainda, provas de que, a partir de 1971, presos políticos foram levados a um centro clandestino de torturas mantido pelo CIE em Petrópolis, hoje conhecido como "Casa da Morte". O denunciado RUBENS PAIM SAMPAIO, inclusive, confessou que foi responsável por manter sequestrada naquela casa a testemunha Inês Etienne Romeu.

Além disso, como já mencionado, nem mesmo na ordem vigente no período eram os denunciados e demais integrantes da organização juridicamente autorizados a atentar contra a integridade física das pessoas que estavam sob suas custódias, e muito menos a sequestrar pessoas, matá-las e depois fazê-las "desaparecer".

As condutas típicas atribuídas aos denunciados eram, assim, antijurídicas. São também culpáveis, porque todos tinham plena e real consciência da ilicitude dos atos praticados; tanto que, ainda que por eles cometidos em nome do Estado, jamais foram assumidos por eles como atos oficiais, permanecendo na clandestinidade das ações criminosas publicamente negadas. Portanto, não há nenhuma dúvida de que, ainda que agindo em nome do Estado, todos os membros da quadrilha armada estavam conscientemente associados para praticar crimes.

Especificamente no que se refere aos denunciados JOSÉ ANTÔNIO NOGUEIRA BELHAM, RUBENS PAIM SAMPAIO, RAYMUNDO RONALDO CAMPOS, JURANDYR OCHSENDORF E SOUZA e JACY OCHSENDORF E SOUZA, a adesão à quadrilha armada ocorreu no Rio de Janeiro, no interior do DOI do 1 Exército e do CIE. Como descrito na manifestação anexa à denúncia, tais órgãos integravam o sistema instituído pela "Diretriz Presidencial de Segurança Interna" para suprimir a oposição ao regime, mediante ações criminosas cometidas e acobertadas por agentes do Estado.

O CIE estava subordinado diretamente ao gabinete do ministro do Exército e funcionava no próprio prédio do ministério, na avenida Presidente Vargas, nesta subseção judiciária. Ao menos entre 1970 e 1974 o órgão manteve equipes de operações comandadas por majores e capitães com formação na área de informações, dentre os quais o denunciado RUBENS PAIM SAMPAIO e os capitães FREDDIE PERDIGÃO PEREIRA e PAULO MALHÃES, já falecidos.

Os oficiais eram subordinados ao tenente-coronel JOSÉ LUIZ COELHO NETTO, também já falecido, e tinham à disposição ao menos três sargentos para acompanhá-los em missões de sequestro, tortura e também de homicídios e ocultações de cadáver de opositores do regime, especialmente os integrantes de organizações da esquerda armada.

Posteriormente, o já coronel JOSÉ ANTÔNIO NOGUEIRA BELHAM passou a comandar toda a Seção de Operações do CIE, consoante comprovou-se através de documento apreendido na residência do militar PAULO MALHÃES, membro da organização criminosa recentemente falecido. Convém registrar que, poucas semanas antes do óbito, PAULO MALHÃES confessou ter recebido ordens do CIE para retirar os restos mortais de Rubens

Paiva da praia do Recreio dos Bandeirantes e ocultá-los em lugar ainda ignorado.

O DOI, por sua vez, estava subordinado à 2ª Seção do Comando do 1 Exército, e funcionou, a partir de meados de 1970 e até o início da década de 1980, em dois prédios do Batalhão de Polícia do Exército, também nesta subseção judiciária. O denunciado JOSÉ ANTÔNIO NOGUEIRA BELHAM, como será melhor detalhado adiante, comandou o Destacamento entre novembro de 1970 e maio de 1971, mas já havia aderido à organização criminosa desde o final do ano de 1969 e início de 1970, momento em que passou conscientemente a atuar na coordenação de equipes de operações, responsáveis por invasões de domicílio e sequestros de suspeitos de oposição ao regime. Tais ações, convém repetir, eram antijurídicas porque contrariavam a legalidade vigente na época, inexistindo causa de exclusão da ilicitude para elas, seja no direito interno, seja no direito internacional.

Requer, outrossim, a oitiva das testemunhas abaixo arroladas para prestar depoimento sob as penas da lei.

Rio de Janeiro, maio de 2014.

SERGIO GARDENGHI SUIAMA
Procurador da República
ANTONIO DO PASSO CABRAL
Procurador da República
TATIANA POLLO FLORES
Procuradora da República

ANA CLÁUDIA DE SALES ALENCAR
Procuradora da República
ANDREY BORGES DE MENDONÇA
Procurador da República — PR/SP
GT-Justiça de Transição
MARLON ALBERTO WEICHERT
Procurador Regional da República
GT-Justiça de Transição

Decisão — Recebimento da denúncia

4ª Vara Federal Criminal
Av. Venezuela, 134, 3º andar
Praça Mauá/RJ — CEP: 20.081-310
Seção Judiciária do Estado do Rio de Janeiro

PROCESSO: 0023005-91.2014.4.025101
AUTOR: JUSTIÇA PÚBLICA
RÉU: JOSÉ ANTÔNIO NOGUEIRA BELHAM E OUTROS
JUIZ: CAIO MÁRXIO GUTTERRES TARANTO

DECISÃO

RECEBIMENTO DE DENÚNCIA

I. DO RELATÓRIO

MINISTÉRIO PÚBLICO FEDERAL oferece denúncia em desfavor de JOSÉ ANTÔNIO NOGUEIRA BELHAM, RUBENS PAIM SAMPAIO, RAYMUNDO RONALDO CAMPOS, JURANDYR OCHSENDORF E SOUZA e JACY OCHSENDORF E SOUZA pela prática, em tese, das condutas tipificadas nos artigos 121, §2º, incisos I, III e IV, 211, 288, parágrafo único, e 347, parágrafo único, todos do Código Penal e em concurso de agentes. Sustenta que, entre os dias 21 e

22 de janeiro de 1971, nas dependências do Destacamento de Operações de Informações — DOI do 1 Exército, então localizado à rua Barão de Mesquita, 425, Tijuca, Rio de Janeiro, os denunciados José Antônio Nogueira Belham e Rubens Paim Sampaio (Major Sampaio/ Dr. Teixeira), em concurso com militares já falecidos e com agentes ainda não identificados, cometeram o homicídio de RUBENS BEYRODT PAIVA. Defende o caráter torpe do homicídio praticado e a impossibilidade de defesa da vítima, consistente na busca pela preservação do poder usurpado em 1964, mediante violência e uso do aparato estatal para reprimir e eliminar opositores do regime e garantir a impunidade dos autores de homicídios, torturas, sequestros e ocultações de cadáver. Asseveram o emprego de tortura, consistente na inflição intencional de sofrimentos físicos e emocionais contra RUBENS BEYRODT PAIVA, com o fim de intimidá-lo e dele obter informações a respeito dos destinatários finais de cartas e documentos remetidos por dissidentes exilados no Chile, encontrados em poder de Cecília Viveiros de Castro e de Marilene Corona Franco.

Imputam também aos acusados, em concurso com agentes não identificados e outros já falecidos, a ocultação do cadáver de RUBENS BEYRODT PAIVA. Narra que os acusados, juntamente com Francisco Demiurgo Santos Cardoso, no dia 22 de janeiro de 1971, inovaram artificiosamente, ao afirmarem que a vítima se evadira, com o fim de induzir em erro o perito Lúcio Eugênio de Andrade e o órgão jurisdicional competente.

Por fim, afirmam que os acusados, ao menos entre 1970 e 1974, juntamente com agentes já falecidos, dentre os quais Francisco Demiurgo Santos Cardoso, Paulo Malhães, Freddie Perdigão Pereira, Antônio Fernando Hughes de Carvalho, Syseno Sarmento, José Luiz Coelho Netto, João Paulo Moreira Burnier, Ney Fernandes Antunes e Ney Mendes, além de outros não identificados, associaram-se, de forma estável e permanente, em quadrilha armada, com a finalidade de praticar crimes de lesa-humanidade tipificados, no ordenamento interno, como sequestros, homicídios e ocultações de cadáver.

A denúncia narra que as quatro condutas imputadas foram cometidas no contexto de um ataque sistemático e generalizado à população civil, consistente em organização e operação centralizada de um sistema semiclandestino de repressão política, baseado em ameaças, invasões de domicílio, sequestro, tortura, morte e desaparecimento de indivíduos contrários ao regime então em vigor.

Assevera o Ministério Público Federal que, no dia 19 de janeiro de 1971, Cecília Viveiros de Castro e Marilene Corona Franco embarcaram do Chile para o Rio de Janeiro (chegando à oh do dia 20). Vítimas de tortura, descobriu-se que ambas ocultavam papéis e cartas com conteúdo político. Nos papéis encontrados em poder de Marilene Corona Franco, havia a orientação de que um dos pacotes deveria ser entregue a "Rubens, que poderia ser contatado através de um determinado número de telefone". Marilene Corona Franco, sustenta a denúncia, foi obrigada mediante tortura cometida pessoalmente pelo comandante da 3ª Zona Aérea, coronel João Paulo Moreira Burnier, a telefonar para o número indicado no pacote que recebera e dizer a "Rubens" que as cartas do Chile haviam chegado. Conforme narra o Ministério Público, o oficial portava radiocomunicador e, assim que a mensagem foi transmitida por telefone, ordenou o cerco e invasão da residência da vítima.

Minutos mais tarde, RUBENS BEYRODT PAIVA foi levado ao comando da III Zona Aérea na avenida General Justo conduzindo o próprio veículo, iniciando-se sessão de interrogatório com emprego de tortura. Posteriormente, a vítima foi levada ao DOI do I Exército. No final do dia 20, foi transferido para o 1º Batalhão de Polícia do Exército (onde funcionava o DOI).

Afirmam que RUBENS BEYRODT PAIVA foi, então, vítima de violenta tortura, de homicídio e teve seu cadáver ocultado. A presente Ação Penal foi distribuída por dependência à Medida Cautelar nº 2014.5101020100-0, que teve por objeto busca e apreensão na residência de Paulo Malhães, cujo resultado consagra documentos e outros meios de prova que lastreiam o oferecimento da denúncia.

DA NÃO EXTINÇÃO DA PUNIBILIDADE PELA PRESCRIÇÃO DA PRETENSÃO PUNITIVA PELA QUALIDADE DE CRIMES CONTRA A HUMANIDADE

A qualidade de crimes contra a humanidade do objeto da presente Ação Penal obsta a incidência do decurso do prazo prescricional como hipótese de extinção da punibilidade. O homicídio qualificado pela prática de tortura, a ocultação do cadáver (após tortura), a fraude processual para a impunidade (da prática de tortura) e a formação de quadrilha armada foram cometidos por agentes do Estado, como forma de perseguição política, no período da Ditadura Militar como atos de repressão à liberdade política da vítima.

A Ordem Constitucional em vigor à época também contemplava a incidência da normatização dos princípios de direito internacional, razão pela qual consagrava a competência da União em celebrar tratados (artigo 8º, I, da Emenda Constitucional nº 01/69). Dessa forma, já incidia o princípio geral de direito internacional, acolhido como costume pela prática dos Estados e posteriormente por Resoluções da ONU, de que os crimes contra a humanidade são imprescritíveis.

A esse fato, acrescenta-se que o Brasil, pela edição do Decreto nº 10 719, de 1914, ratificou a Convenção Concernente às Leis e Usos da Guerra Terrestre, firmada em Haia em 1907, na qual reconhece o caráter normativo dos princípios *jus gentium* preconizados pelos usos estabelecidos entre as nações civilizadas, pelas leis da humanidade e pelas exigências da consciência pública.

O conceito de crime contra a humanidade foi previsto inicialmente no art. 6º do Estatuto do Tribunal de Nuremberg, e depois ratificado pela Organização das Nações Unidas em dezembro de 1946. Nele estão previstas as condutas de homicídio, deportação, extermínio e outros atos desumanos cometidos "dentro de um padrão amplo e repetitivo de perseguição a determinado grupo (ou grupos) da sociedade civil, por razão política". Nesse contexto, o sentido e conteúdo de crime contra a humanidade devem ser extraídos ponderando-se o histórico de militância política da vítima, inclusive sua atuação na qualidade de deputado cassado pelo Movimento de 1964.

Como fixado pelas Nações Unidas — ao aprovar os princípios ditados pelo Tribunal de Nuremberg —, o crime de lesa-humanidade constitui qualquer ato desumano cometido contra a população civil, no bojo de uma perseguição por motivos políticos, raciais ou religiosos. Note-se que não há necessidade de consumação de um genocídio, mas apenas que determinado segmento social seja alvo de repressão específica.

A denúncia narra com clareza o contexto das condutas imputadas aos denunciados como prática de uma política de governo ilegal perante o ordenamento à época qualificada por atrocidades. Passados mais de quarenta anos dos fatos objeto da Ação Penal, já não se ignora mais que a prática de tortura e homicídios contra dissidentes políticos no período conhecido historicamente como "Ditadura Militar" fazia parte de uma política conhecida, desejada e coordenada pela mais alta cúpula governamental, mas que a manteve em um plano de ilegalidade, expondo que o Estado e os detentores do poder estavam acima do ordenamento jurídico.

Narra, pois, a denúncia crimes contra a humanidade em contexto com demais fatos igualmente ilícitos, a exemplo de outros casos de tortura. Dessa forma, não se admite a prescrição da pretensão punitiva. Muito embora o Brasil não tenha ratificado a Convenção sobre Imprescritibilidade dos Crimes de Guerra e dos Crimes contra a Humanidade, aprovada pela Assembleia Geral da ONU em 1968, incide o verdadeiro princípio geral de direito internacional, incorporado aos costumes internacionais, que obsta a extinção da punibilidade a partir de força derrogatória do artigo 107 do Código Penal.

O artigo 38(1) do Estatuto da Corte Internacional de Justiça é amplamente reconhecido como a formulação mais autorizada a respeito das fontes do direito internacional e expressamente contempla o costume internacional como uma prova de prática geral aceita como direito. O costume como fonte do direito internacional apto a orientar juízos de supralegalidade exige fatos materiais, ou seja, o comportamento propriamente dito dos Estados e a crença de que é segundo o ordenamento jurídico (internacional). Há, assim, a crença e a coerência com o ordenamento jurídico de que os crimes contra a humanidade aceitos pelos Estados devem ser punidos, não se submetendo a impedimentos de incidência da lei penal, a exemplo das hipóteses de extinção da punibilidade, como a prescrição.

DA NÃO EXTINÇÃO DA PUNIBILIDADE PELA PRESCRIÇÃO DA PRETENSÃO PUNITIVA DO HOMICÍDIO QUALIFICADO POR TORTURA POR FORÇA DA CONVENÇÃO INTERAMERICANA CONTRA A TORTURA

Tendo-se em vista a primeira conclusão de não incidência de Anistia para os crimes imputados em desfavor dos denunciados nessa ação penal, conclui-se que não está extinta a punibilidade pela prescrição da pretensão punitiva da imputação de homicídio qualificado pela tortura, mesmo se desconsiderasse a qualidade de crime contra a humanidade. Ora, na medida em que o fato aconteceu entre os dias 20/21 de janeiro de 1971, em 5/10/1988, não havia decorrido o prazo de vinte anos necessários para a extinção da punibilidade (artigo 109, I, do Código Penal).

A Carta de 1988 consagrou que os direitos e garantias nela expressos não excluem outros decorrentes do regime de tratados internacionais em que a República Federativa seja parte (artigo 5º, §2º). Esse dispositivo superou a disposição normativa do artigo 153, §36, da Ordem Constitucional anterior, de alcance mais restrito. Por outro lado, a Constituição atribui reprovabilidade à tortura, em especial por consagrá-la como inafiançável e insuscetível de graça ou Anistia (art. 5º, inciso XLIII). Há, pois, o direito fundamental na punibilidade dessa prática, sobretudo quando a disposição normativa do inciso XLIII é compreendida perante o inciso XLI do artigo 5º, ao estabelecer que "a lei punirá qualquer discriminação atentatória dos direitos e liberdades fundamentais".

DA JUSTA CAUSA. CONTEXTO APTO À ADMISSÃO DA DENÚNCIA

A denúncia ofertada encontra-se devidamente acompanhada de documentos e testemunhos aptos ao recebimento da denúncia em desfavor dos acusados. Merecem ênfase a declaração manuscrita de Cecília Viveiros de Castro, a declaração de Marilene Corona Franco ao MPF, o depoimento de Cecília Viveiros de Castro à DPF em 11/09/1986, o recebimento de entrega do automóvel da vítima e o conjunto de documentos apreendidos por força da Medida Cautelar nº 2014.5101020100-0.

DISPOSITIVO

Em face do exposto, RECEBO A DENÚNCIA em desfavor de JOSÉ ANTÔNIO NOGUEIRA BELHAM, RUBENS PAIM SAMPAIO, RAYMUNDO RONALDO CAMPOS, JURANDYR OCHSENDORF E SOUZA e JACY OCHSENDORF E SOUZA pela prática, em tese, das condutas tipificadas nos artigos 121, §2º, incisos I, III e IV, 211, 288, parágrafo único, e 347, parágrafo único, todos do Código Penal e em concurso de agentes.

Citem-se os denunciados para responderem à acusação, por escrito, no prazo de 10 (dez) dias, na forma do art. 396-A do Código de Processo Penal, ocasião em que poderão ser arguidas preliminares e alegar tudo o que interesse à sua defesa, oferecer documentos e justificações, especificar as provas pretendidas e arrolar testemunhas, qualificando-as e requerer sua intimação, quando não se tratar de testemunhas meramente de caráter, devendo nesta hipótese ser apresentada declaração.

O Oficial de Justiça deverá qualificar os citandos nas folhas anexas aos mandados e devolvê-las a este Juízo junto com os expedientes. Deverá, ainda, certificar se os denunciados têm advogado, bem como o nome e o número de inscrição na OAB, ou, caso não possuam, informar se têm condições financeiras para constituir advogado.

Caso não possuam condições financeiras para constituir advogado, deverão ser orientados a dirigirem-se, em caráter de urgência, à Defensoria Pública da União, localizada na rua da Alfândega, nº 70, Centro, Rio de Janeiro/RJ, de terça a quinta-feira, das 8h30 às 17h30, ou, na impossibilidade, manterem contato telefônico com o órgão, através do número 2460-5000.

Dê-se vista ao Ministério Público Federal.

Rio de Janeiro, 26 de maio de 2014.
(Assinado eletronicamente)
CAIO MÁRCIO GUTTERRES TARANTO
Juiz Federal